전정판

노인 체육론

김동아, 안나영, 안병욱
안주미, 이은주, 이현주, 정난희 저

한국스포츠개발원의
출제기준에 맞춘
스포츠지도사(2급)
시험대비 표준교재

대경북스

머리말

"오래 사는 것이 중요한 것이 아니라,
건강하게 오래 사는 것이 중요하다!"

한국인의 평균수명은 2011년 현재 남자 77.6세, 여자 84.4세이고, 매년 0.5세씩 늘어난다고 한다.

65세 이상 인구가 총인구에서 차지하는 비율이 7% 이상을 고령화사회, 14% 이상을 고령사회, 20% 이상을 초고령사회라고 한다. 2015년 기준 한국의 65세 이상 노인인구는 662만 4천 명으로 전체 인구의 13.1%에 이르고, 2026년에는 전체인구의 40%에 이를 것으로 추정되며, 그 즈음에는 우리나라가 세계에서 가장 노인인구의 비율이 높은 나라가 될 것이다.

일반적으로 나이가 들면 스포츠와 같이 격렬한 신체활동에 참가하는 빈도가 점차 줄어들고, 노인들이 신체적으로 활발하지 않게 되면 신체의 작업능력이 저하되거나 여러 가지 장애의 원인이 될 것이라는 것은 쉽게 예측할 수 있다.

젊은 사람들은 외모 가꾸기 때문에 운동을 하지만, 나이가 들어감에 따라 건강이 보다 중요시된다. 노인 운동의 주요 목표는 일반적인 건강증진과 스스로 돌보는 능력의 향상인데, 이것은 결과적으로 노화를 방지하는 데 있다.

노인의 지속적인 운동에 의한 운동효과를 보면 심장허파순환기능 및 근육의 기능이 향상됨을 알 수 있고, 콜레스테롤 수치를 감소시켜 심장혈관계통 질환의 위험요인을 제거한다. 그리고 신진대사가 활발해져 체력을 증진시키고 노화방지에 효과적이다. 이 외에도 운동을 하면 우울증, 무력감, 불안감 등을 해소하여 노년기에도 활발하고 희망찬 생활을 할 수 있도록 하는 정신적 건강유지에 큰 도움을 준다.

이 책은 고령화사회에 대비하여 노인체육을 지도할 전문인력을 양성해야 한다는 현실적인 이유와 국민복지의 한 수단으로 노인복지의 실현이라는 정책적인 목적으로 시행되는 노인스포츠지도사 필기시험에 대비하는 수험서이다. 여기에서 노인스포츠지도사란 노인의 신체적 · 정신적 변화 등에 대한 지식을 갖추고 해당 자격종목에 대하여 노인을 대상으로 생활체육을 지도하는 사람을 말한다고 되어 있으며, 자격종목으로는 총 55개 실기종목이 이에 해당한다.

이 책은 크게 5개의 장으로 구성되는데, 제1장 노화와 노화의 특성에서는 노화의 정의와 노화이론, 노화에 따른 변화 등을 설명하였고, 제2장 노인 운동의 효과에서는 노인운동의 개념과 역할, 운동의 효과에 대해 다루었다. 제3장 노인 운동프로그램의 설계에서는 운동양식과 운동강도, 시간, 빈도의 설정, 동기유발, 운동방안 및 권장지침에 대래 설명하였고, 제4장 노인의 질환별 운동프로그램 설계에서는 호흡순환계통질환, 근골격 · 신경계통질환, 노화성 질환 등에 따른 운동프로그램의 설계에 대해 다루었다. 마지막으로 제5장 노인 운동의 효과적인 지도방법에서는 노인 대상자와의 의사소통기술, 안전관리 및 응급처치에 대해 설명하였다.

정신적 · 육체적으로 건강한 노후의 삶을 영위하기 위해서는 지속적인 신체활동과 체육활동은 필수적이다. 요즈음 우리나라처럼 초고령사회에 진입하여 노령인구의 건강악화와 치매 등으로 인한 의료비용과 사회비용이 천문학적으로 늘어나고 있는 현실에서는 더욱 그러하다.

아무쪼록 노인체육 전공자들과 노인스포츠지도사 자격을 취득하기 위해 준비하는 학생들이 본서를 통해 원하는 학문적 성취를 이루고 현장에 나아가, 즐겁고 흥미로운 신체활동을 통해 어르신들이 건강하고 행복한 노후를 도모할 수 있는 기틀을 마련하기를 기대해 본다.

2021년 7월

저 자 씀

차 례

제 1 장 노화와 노화의 특성

제 3 장 노인 운동프로그램의 설계

제 4 장 노인의 질환별 운동프로그램 설계

제 5 장 노인 운동의 효과적인 지도방법

제1장

노화와 노화의 특성

01 노화의 개념

1 생물학적 측면에서 본 노화와 노년병

노화(senescence)란 시간이 흐름에 따라 일어나는 체세포의 감소와 기능 변화에 의한 장기 축소, 조직의 퇴행 변성, 조직 성분의 변화이다. 사람의 생명은 난자와 정자에서 태어난 수정란이 태아로 발생(發生)하여 출산에 의해 모체에서 탄생하는 것이다. 그리고 노화는 모체에서 태어나 자라서 성숙기 이후에 나타나는 변화이다. 연령증가(aging)란 태어난 이후부터 시간이 경과함에 따라 개체에 발생하는 모든 현상을 말한다.

노화의 특징은 보편성 · 진행성 · 내재성(內在性) · 유해성을 가지고 있다는 것이다. 노화, 즉 신체기능의 퇴행변성은 성숙기부터 시작된다. 임상 노인의학에서는 노인을 '고령자'로 보고, 65~74세를 '전기 고령자', 75~84세를 '중기 고령자', 85세 이후를 '후기 고령자'로 본다.

고령자와 젊은 사람의 차이는 '얼굴에 주름이 있다', '머리카락의 수가 적거나 흰머리가 많다', '피부의 촉촉함이 사라졌다', '기미가 많다', '자세가 굽어 있다', '기민하게 걷지 못한다' 등이다. 여기서 대부분은 피부의 노화를 가리킨다.

확실히 노화된 피부에서는 각질세포 속의 보습인자가 감소하여 피부가 건조해지거나 거칠어지는 현상이 발생한다. 표피세포의 소형화나 수의 감소에 의해 표피의 두께나 표피 돌기가 감소하여 피부를 위축시킨다. 진피의 교원섬유 감소나 탄력섬유의 변성은 피부주름이나 처짐을 유발한다. 흰머리는 모발색을 나타내는 멜라노사이트(melanocyte)의 기능저하나 탈락 때문이다. 머리카락의 성장속도가 느려지고 성장기간이 단축되기 때문에 탈모가 된다.

이러한 피부세포의 세포감소 및 기능저하와 동일한 변화가 신체의 다른 장기에서도 일어난다고 볼 수 있다. 이러한 노화현상이 어떻게 발생하는가에 관해 연구해온 것이 노화 연구의 역사이다.

노화의 연구

노화에 대한 연구는 주로 세포 단위로 진행되었다. 즉 세포노화(cellular senescence)의 기전을 해명하는 과정에서 세포의 분열수명을 제어하는 텔로미어(telomere)의 의의, 세포의 형질 변형이나 분화 증식, 나아가 아포토시스(Apoptosis; programmed cell death)를 제어하는 구조가 밝혀졌다. 그 결과 노화 관련 유전자가 조로증(progeria)의 원인이 되는 것이 밝혀져 노화 연구에 커다란 기여를 하고 있다.

한편 노화는 몸 전체에서 일어나는 현상이므로 개체노화(individual senescence) 연구는 세포노화 연구의 성과를 근거로 많은 발전이 요구된다. 현재는 노화 관련 유전자의 녹아웃(knock out) 또는 유전자이전마우스(transgenic mouse)나 노화촉진마우스(senescence-accelerated mouse) 등을 이용한 연구가 진행되고 있다.

조로증

조로증의 유전자이상을 표 1-1에 표기하였다. 조로증의 원인 유전자 탐색을 통해 밝혀진 것은 ① 조로증의 유전자이상 대부분이 핵 DNA 복원에 관여하는 것과 ② 체세포와 조직의 노화가 보통의 '노화'절차에 크게 관여하고 있다는 것이다. 특히 최근 허친슨-길포드 증후군(Hutchinson-Gilford syndrome)의 원인 유전자가 핵의 형태를 유지하면서 중요한 라미나(Lamina)의 주요 성분인 Lamin A라는 것이 밝혀졌다. 이것을 통해서 핵의 기능저하와 노화의 관련성을 고려할 수 있다는 것을 시사할 수 있다.

한편 아포토시스(Apoptosis)의 신호를 이끌어낸다고 알려져 있는 미토콘드리아도 노화와 관련된다는 것이 주목받고 있다. 미토콘드리아 뇌병(Mitochondrial encephalopathy)[레베르유전성시신경위축증(Leber's hereditary optic neuropathy)이나 리병(Leigh disease, 리이병) 등]에서 미토콘드리아 DNA의 변이가 보고되었다. 실험 동물에서 미토콘드리아에 있는 전자전달계의 호흡사슬복합체(呼吸鎖複合体)이상이 파킨슨(Parkinson)병의 증상을 가리키는 것으로도 알려져 있다. 또한 분비단백질의 품질을 관리하는 소포체(小胞体)이상도 노화와 관련된 것으로 보고 있다.

▶ 표 1-1 조로증과 유전자이상

증후군	발증빈도	평균수명	유전자이상	주요 증상
허친슨-길포드증후군	<1/100만 명	~12년	Lamina A	동맥경화, 지방위축증, 당뇨병 등
코게인증후군	<1/10만 명	~20년	DNA helicase	난청, 망막변성, 탈수*
월러증후군	<1/10만 명	~46년	DNA helicase	백발, 탈모, 쉰목소리, 동맥경화, 암
모세혈관확장성 동실조증	<1/6만 명	~20년	DNA 손상시그널	피부경화, 면역부전, 백발, 암
다운증후군	<1/1,000명	~60년	불명	백내장, 백발, 탈모, 지능저하, 저피부밑지방

*탈수(脫髓, demyelination)……수초가 파괴되어 고유의 염색성을 상실하는 것.

출처 : Kipling, D. et al.(2004). What can progeroid syndromes tell us about human aging? *Science, 305* : 1426~1431.에서 일부 인용

■ 생리적 노화와 병적 노화

앞에서 노화의 특징에는 내재성이 있다고 했으나, 노화에는 생리적 노화(physiological aging)와 병적 노화(pathological aging)가 있다. 전자는 성숙기부터 시작되는 각 장기의 생리적인 기능 변화를 가리키며, 보편적이면서도 불가역적(不可逆的)인 현상이다.

한편 병적 노화는 생활습관병 등으로 판별되는 노화현상의 가속에 따라 병적 상태에서 헤어나오지 못하는 상태를 말한다. 이 병적 노화에는 종종 혈관의 노화가 기반이 되기도 한다. 그 외에 골다공증이나 신경의 변성질환 등 장기특이적(臟器特異的) 병적 노화도 있다. 병적 노화와 생리적 노화의 구별은 명확하게 정해져 있지 않으나, 병적 노화는 기저질환에 의해 노화현상이 가속된 것이다.

생활습관병인 당뇨병 · 고혈압증(高血壓症) · 이상지질혈증 · 비만 등은 각각 노화의 촉진 외에도 중복될수록 노화에 가속도가 붙는 특징이 있다. 이 병적 노화는 원리적으로는 예방과 치료로 방지할 수 있다.

■ 노화의 특징

노화에는 다음과 같은 특징이 있다.

❖ 보편성……노화는 모든 사람에게 보편적으로 일어난다. 암과 같은 질병은 특정인에게만 일어나지만 노화는 모든 사람에게 일어난다. 다만 노화가 일어나는 시기와 노화의 속도는 개인에 따라 차이가 있을 수 있다.

❖ 내인성……노화의 주원인은 체내에 있다. 예를 들어 방사선에 과도하게 노출되면 신체에 변화가 생기지만, 그 원인이 신체 외적인 곳

에 있으므로 노화가 아니다.

- ❖ **쇠퇴성**……노화는 신체기능에 부정적인 영향을 미쳐 사망에 기여한다. 나이가 들면서 신체의 기능이 더 좋아지면 노화가 아니다.
- ❖ **점진성**……노화는 점진적으로 일어난다. 신체기능의 상실이 점진적으로 일어나야지 교통사고처럼 갑자기 나빠지는 것은 노화가 아니다.

노화는 사람에게만 일어나는 것이 아니라 이 세상의 모든 동 · 식물에서 노화가 일어난다. 심지어는 단세포동물에서도 노화가 관찰되기 때문에 노화를 하나의 자연현상으로 보는 것이 일반적인 인식이다.

그러나 최근에 노화를 일으키게 하는 원인이 계속해서 밝혀지고, 그러한 원인들을 제거함으로써 부분적으로나마 노화를 예방하거나 늦추고 있기 때문에 노화를 자연현상으로 보지 않고 질환으로 보는 학자들이 점차 증가하는 추세이다.

2 노인체육학

일반적으로 연세가 높은 사람을 노인이라고 하지만, 우리나라에서는 노인의 기준을 만 65세 이상으로 정해 놓았다. 100세 시대이다 보니 같은 노인이라도 연령 차이가 많이 나기 때문에 ① 연소노인(65~74세), ② 중고령노인(75~84세), ③ 고령노인(85~99세), ④ 초고령노인(100세 이상)으로 나누기도 한다.

그런데 노인들을 연세에 따라서 분류하는 것보다는 신체기능이 남아있는 정도에 따라 나누는 것이 더 의미가 있다고 해서 ① 신체적으로 잘 단련된 노인, ② 단련된 노인, ③ 독립적인 노인, ④ 연약한 노인, ⑤ 의존적인 노인으로 분류하기도 한다.

그리고 국가의 인구 중에서 65세 이상의 노인들이 차지하는 비율이 7% 이상이면 '고령화사회', 14% 이상이면 '고령사회', 21% 이상이면 '초고령사회'로 분류한다.

우리나라는 이미 고령사회를 넘어서서 초고령사회로 진입하기 직전에 있다. 이와 같이 노인인구가 많아지다 보니 여러 가지 노인 문제들이 빈번하게 발생되고 있다.

노인을 대상으로 신체활동이 노인의 건강과 행복에 미치는 영향과 노화에 미치는 영향에 대하여 연구하는 학문을 '노인체육학'이라 한다. 노인체육학의 연구내용 내지 연구범위는 ① 노화의 특성, ② 노인의 질병, ③ 노화와 신체활동의 관계, ④ 노인의 체력, ⑤ 노인의 운동지도 등이다.

노인체육학이 필요한 이유는 다음과 같다.

» 노화의 과정이 일률적이지 않고 개인차가 크다.
» 노인들에게 안전하고, 적합하며, 효과적인 운동프로그램을 제공해야 할 필요가 있다.
» 신체기능의 퇴행을 막고 유지하는 것이 성공적인 노화의 첫 단계이다.
» 신체기능을 유지하는 데는 신체활동이 가장 중요한 요인이다.
» 노인의 신체활동은 노인성 질병을 예방하고 신체적 허약함을 감소시키는 데에 가장 효과적인 방법이다.

노인에게 운동 또는 스포츠를 지도할 때 꼭 필요한 지식이나 경험은 다음과 같다.

» 노인성 질환의 발병기전과 특성
» 운동 시 주의해야 할 사항에 대한 의학적 지식
» 신체적 허약을 극복할 수 있는 체력요인에 대한 지식
» 넘어짐을 방지하기 위한 다감각훈련에 관한 지식과 경험

02 노화이론 - 생물학적 · 심리학적 · 사회적 관점에서 본 -

"사람은 왜 태어나서 살다가 늙어서 죽는가?"라는 의문에 대한 해답을 찾으려고 노력하는 것이 노화이론이다. 노화와 관련된 이론을 맨 처음 주장한 사람은 히포크라테스(Hippocrates)이다. 그는 인간의 몸을 불, 물, 공기, 흙으로 구성되어 있다고 보고, 체내의 열이 감소하는 등 조화가 깨지는 것이 노화라고 주장하였다. 다윈(Darwin, C. R.)은 신경 및 근육의 자극에 대한 감수성이 저하되는 것이 노화라고 주장하였다.

노화와 관련된 학설은 수백 개에 이르고, 어느 한 가지 이론으로 설명하기에는 한계가 있다.

여기에서는 노화이론을 생물학적, 심리학적, 사회학적 관점으로 나누어서 살펴보기로 한다.

1 생물학적 노화이론

생물학적 노화의 특징은 체내의 지방은 증가하는 반면 단백질 · 수분 · 미네랄 등의 성분은 감소하여 골다공증 증세가 나타나고, 연골의 탄력성이 약화되어 퇴행성관절염의 발생빈도가 증가하며, 신장과 체중이 약간 감소한다.

생물학적 노화이론은 크게 유전적 노화이론, 비유전적 세포이론, 면역이론으로 나눌 수 있다. 노화는 유전에 의해서 이루어진다는 것이 유전적 노화이론이고, 어떤 이유로 세포가 변하기 때문에 노화가 일어난다는 것이 비유전적 세포이론이며, 면역체계에 어떤 변화가 생기는 것이 노화라고 주장하는 것이 면역이론이다.

다음은 생물학적 노화이론 중에서 중요하다고 생각되는 것을 간추려서 정리한 것이다.

- ❖ 유전적 노화이론……DNA 속에 노화의 속성이 저장되어 있어서 정해진 시기에 이르면 특정 유전자가 적극적으로 작용하여 세포를 노화시켜서 노화가 진행된다.
- ❖ 유전자 돌연변이이론……DNA 복구 시스템이 비정상적으로 작동하면 일부 유전자정보가 상실되어 돌연변이세포가 만들어진다. 돌연변이세포가 누적되면서 노화가 진행된다.
- ❖ 사용마모이론……기계가 마모되듯이 인체의 세포도 점진적으로 닳아 없어짐으로써 노화가 진행된다.
- ❖ 손상이론……세포 손상의 누적이 세포의 기능장애를 일으키는 결정적 요소로 작용하여 노화를 발전시킨다.
- ❖ 노폐물누적이론……살아가는 동안 인체 내부에 해로운 물질과 노폐물이 축적되고, 축적된 노폐물이 세포기능이 정상적으로 작동하는 것을 방해해서 노화된다.
- ❖ 교차연결이론……세포 내부의 분자들이 서로 교착되어 활동성을 잃게 되거나, 분자의 교착으로 기능상에 문제가 생긴 단백질이 세포조직에 상처를 주어 세포의 기능이 저하됨으로써 노화가 생긴다.
- ❖ 산화기이론……산소대사가 이루어지지 못하고 체내에 일부 남아 있는 산화기(활성산소)가 세포막과 결합하여 세포막을 변형시켜서 노화가 일어난다. 쉽게 말해서 몸이 녹스는 것이 노화이다.
- ❖ 점진적 불균형이론……노화가 진행됨에 따라 신경계통과 내분비계통의 세포들이 약간씩 줄어들고, 그 결과로 점차적으로 불균형상태가 되면서 부정적인 영향을 미쳐서 노화가 진행된다.

❖ 면역이론……체내의 면역체계가 항체를 만들 때 정상세포까지 파괴하는 항체를 조금씩 만들게 되는데, 그 항체들이 누적되면서 노화가 진행된다.

2 심리학적 노화이론

심리학적 노화이론은 사람이 어떻게 해서 심리적으로 늙게 되는가를 설명하는 이론이 아니라, 사람이 생물학적으로 늙어갈 때 심리적으로 늙는 것을 예방하거나 지연시킬 수 있는 방법에 대한 이론이다.

그래서 심리학적으로는 노화과정을 '퇴화와 성숙을 함께 가지고 있는 자기조절 과정'으로 보고, 노년기에도 인간의 심리 · 사회적인 발달이 지속된다고 가정하면서, 일생 동안의 경험이 가치있는 것임을 발견할 때에 노년기를 긍정적으로 인식한다고 본다.

❖ 자아발달단계(자아통합단계) 이론……에릭슨(Erickson, E. H. : 1963)은 출생에서 노년까지의 자아발달을 8단계로 나누고, 맨 마지막 단계는 노년기에 오는 것으로 "자부심과 만족감을 느끼면서 자신이 살아온 과거를 되돌아볼 수 있으며, 죽음을 위엄 있게 받아들일 수 있다."면 긍정적인 노년기가 되는 것이고, 반대로 "자신이 살면서 달성해야 할 것을 달성하지 못했다고 느끼면서 삶의 종말이 다가오는 것에 절망한다."면 부정적인 노년기가 된다고 주장하였다.

❖ 발달과업 이론……하비거스트(Havighurst, R. J. : 1972)는 생애주기를 신체적인 조건, 문화적인 규범, 사회적인 기대감, 개인적인 가치설정, 개인적인 기대감 등의 6단계로 구분하고, 각 발달단계에서 주어진 과업을 완수하는지 여부가 현재의 행복과 다음 단계의 성공적 과업수행에 결정적인 역할을 한다고 주장하였다.

그는 노년기 발달과업으로 다음과 같은 여섯 가지 적응과제를 제시하였다.

- 약화되는 신체적 힘과 건강에 따른 적응
- 퇴직 및 경제적 수입 감소에 따른 적응
- 배우자의 죽음에 대한 적응
- 동년배 집단과의 유대관계 강화
- 사회적 역할을 융통성 있게 수행하고 적응하는 일
- 생활에 적합한 물리적 생활환경의 조성

❖ **발달과업 이론**……펙(Peck, R. C. : 1968)은 중년기 이후의 발달과업을 다음과 같이 3가지로 보고, 그 발달과업들을 잘 완수해나가야 한다고 주장하였다.

- **자아분화 대 직업역할 몰두**……자아의 분화가 잘 되어 있는 사람은 자아의 지지기반을 직업역할 이외에 여러 가지 역할에 나누어 두고 있는 데 비하여, 자아의 분화가 약한 상람은 거의 전적으로 자아의 지지기반을 직업역할에 두고 있다.
- **신체초월 대 신체몰두**……신체적 기능쇠퇴의 생물적 노화현상을 극복하고 잘 적응함으로써 생활의 만족을 얻는 것이다. 신체적 기능쇠퇴 현상에만 몰두하여 그것을 극복하지 못하면 생활의 만족을 얻지 못하고 심리적 기능도 크게 손상된다.
- **자아초월 대 자아몰두**……현실적인 자아를 초월하는 단계로, 죽음을 인정하고 긍정적으로 받아들여서 미래에까지 연결하는 것이다. 이러한 자아초월의 과업이 잘 해결되지 못하면 죽음을 두려워하게 된다.

❖ **사회적 와해이론**……카이퍼스(Kuypers) & 벤슨(Bengtson, V. L. : 1973)은 "심리적으로 허약한 개인이 주변 환경으로부터 부정적인

반응을 받게 된 결과 자아개념이 무너지는 부정적인 피드백의 악순환을 거치면서 사회적으로 와해된다."는 사회적 와해이론을 주장하였다. 이 이론에 의하면 "노인들이 사회로부터 강제퇴직을 당함으로써 중년기의 역할을 상실하고, 사회에서 무능력자로 낙인이 찍혀 의존적인 존재로 취급되어 결국에는 자신감을 상실하고 불안한 상태에 놓이게 된다."

❖ 성공적 노화이론……발트 등(Baltes, M. M. & Baltes, P. B. : 1990)이 주장하는 "노후에는 신체적 및 지적 퇴화로 인해 젊었을 때처럼 사회활동에 적극적으로 참여할 수 없지만, 갑작스럽고 전적인 단절은 오히려 노화를 재촉할 수 있기 때문에 개인에게 일과 보상이 주어진다면 성공적인 노화를 보낼 수 있다(선택과 보상이 있는 적정화)."는 이론으로, 역동이론이라고도 한다.
여기에서 보상이란 노화로 인하여 감소된 능력을 보조기구 등을 통하여(돋보기나 보청기) 그 능력을 향상시켜주는 것을 뜻한다.

3 사회학적 노화이론

노화과정에서 나타나는 개인적 특성이나 행동, 노년기에 일어나는 사회적 관계와 역할의 변화를 사회학적 측면에서 설명하는 이론들이다.

❖ 사회유리 이론……건강의 약화, 죽음에 이를 가능성의 증가, 사회에 대한 공헌의 약화 등에 의해서 노인의 사회적 역할과 상호작용을 감소시켜서 노인들을 사회에서 분리시킨다. 그러한 분리는 정상적이고 불가피한 것이다. 노인 스스로가 사회활동으로부터 소모되는 에너지를 보존하기 위해서 스스로 사회에서 물러나는 개인적 분리와,

사회가 노인을 사회로 다시 복귀시키는 것보다는 젊은 세대를 영입하는 것이 더 유익하다고 판단해서 노인을 사회로부터 분리시키는 사회적 분리가 있다.

❖ 활동 이론……노인의 사회활동 참여율이 높을수록 심리적 만족감과 생활만족도가 높아진다. 그러므로 "가능한 한 사회에 통합되어 새로운 역할을 찾아 사회적 활동을 지속하는 것이 성공적인 노화"라고 주장하는 이론이다.

❖ 사회교환 이론……사회에서 불가피하게 교환이 이루어져야 하는 경우 가치가 높은 교환자원을 가지고 있거나 교환자원을 풍부하게 가지고 있는 사람이 그렇지 못한 사람들을 지배한다는 이론이다. 노인이 가지고 있는 교환자원의 가치나 양은 젊은 사람이 가지고 있는 교환자원의 가치나 양에 비하여 열세이기 때문에 사회에서 열등한 지위로 내몰리게 된다.

❖ 지속성 이론……개인의 인격성향에 따라서 각기 다른 노화패턴을 만들어낸다. 그러므로 노인이 자신의 기준대로 적응해나가도록 하는 것이 성공적인 노화를 돕는 일이다.

❖ 연령계층 이론……라일리(Riley) & 포너(Foner : 1968)는 동일한 연령대에 속하는 사람들은 동일한 문화권에서 서로 비슷한 역사적 경험을 하면서 성장해왔기 때문에 비슷한 가치관과 태도를 갖고 있다고 가정하고, 연령집단에 따라 사회적 계층화가 나타나서 연령에 따른 불평등과 차별이 나타나게 되는 연령계층이론을 주장하였다.

❖ 하위문화 이론……로스(Rose, A. M. : 1965)는 "한 범주에 속하는 구성원들이 다른 범주에 속하는 사람들과의 관계보다는 같은 범주에 속하는 사람들과 더 많은 관계를 유지하면서 독특한 하위문화를 형성하게 된다. 노인들은 나이가 들어가면서 가족과의 접촉이 줄어들

고, 청년층과 격리되며, 홀로 살아가면서 소외를 경험하지만, 동시에 동년배들 간의 사회적 접촉빈도는 증가한다. 그리하여 노인들만의 하위문화를 형성시킨다."고 하였다.

❖ 현대화 이론……과거에는 모든 연령대가 공통된 문화와 전통 속에서 공동체 생활을 하였지만, 산업화는 젊은층을 도시로 이동시키면서 매우 빠른 속도로 전통사회를 해체하고 새로운 문화를 형성하였다. 전통사회의 노인들은 전통의 전수, 손자 · 손녀 양육 및 교육, 집안의 대소사 관장 등 중요한 역할을 해왔다. 반면에 젊은 세대는 농촌에서 도시로 이동하면서 전통과 사회적 통제로부터 벗어나게 되었고, 세대 간 다른 역사적 경험들은 생활양식, 경험, 규범, 이해관계 등 모든 면에서 대립적인 위치에 서게 되었다. 즉 사회구조 및 사회체제의 변화는 세대별로 다른 조건을 부여하여 세대 간의 이질성을 심화시키면서 노인들의 신분은 하락하였다. 노인의 사회적 지위를 상실시키는 요인으로 건강기술의 발전, 과학기술의 발전, 도시화, 교육기회의 확대 등의 네 가지를 지적하였다.

4 성공적인 노화

■ 성공적인 노화의 개념

성공적인 노화에 대한 개념은 1986년에 미국 노년사회학회에서 처음으로 제시한 이후 사회과학, 의학, 생물학 등의 분야에서 연구되어 왔다.

로우(Rowe, J. W.)와 칸(Kahn, R. L. : 1998)은 1984년부터 7년 동안 「신 노년학」의 개념에 기초하여 70대 노인을 대상으로 노화와 관련된 연구를 하여 다음과 같은 '성공적인 노화의 3가지 요인'을 발표하였다.

- ❖ 질병과 그와 관련된 장애위협의 최소화……질병이나 장애의 유무와 상관없이 생활을 최소한도로 방해하고, 일상생활을 자립적으로 할 수 있는 신체적 기능 수준을 유지하며, 신체적 활력을 보유하고 있는 상태
- ❖ 높은 수준의 신체적 인지기능……삶의 목표의식이 뚜렷하고, 건강한 인지기능을 유지하며, 자신을 수용하고 통제하며, 자신의 능력을 신뢰하고, 자신의 성장을 도모하며, 환경적 욕구에 잘 적응하면서 주관적으로 만족스러운 삶을 영위하는 상태
- ❖ 활기찬 인생참여……가족, 친구, 이웃 또는 이전의 동료와의 사회적 접촉을 통하여 사회관계망을 유지・강화해나가고, 경제적으로 안정된 생활을 할 수 있는 정도의 노후소득 준비를 충분히 하며, 은퇴 후에도 경제활동 또는 사회발전에 기여할 수 있는 생산적 활동에 활발하게 참여하는 상태

■ 성공적인 노화를 촉진하는 방안

대부분의 노인들이 성공적으로 노화할 수 있도록 촉진하기 위해서는 다음과 같은 원조가 필요하다.

- » 노인의 건강증진을 위한 생활습관의 관리와 2차적 예방이 이루어져야 한다.
- » 심리적으로 만족스럽고, 정신적으로 건강한 삶을 영위할 수 있도록 원조하여야 한다.
- » 경제적 안정을 위한 지원을 해야 한다.
- » 경제발전이나 사회발전에 기여할 수 있는 활동에 참여할 수 있는 기

회를 부여해야 한다.

» 사회적 관계유지와 적극적 여가 참여를 지원해야 한다.

03 내·외인적으로 본 노화이론

노화의 실체에 대해서는 많은 이론이 있다. 그 이론은 크게 내인설(內因說)과 외인설(外因說)로 나누어진다.

- ❖ 내인설……프로그램설(program說)로 대표되는데, 노화가 유전자로 제어되고 있다는 것
- ❖ 외인설……산화스트레스(酸化stress)나 외부환경(환경오염물질, 운동, 영양 등)에 의해 세포 손상이나 유전자 변이가 일어나 노화가 촉진된다는 것

수명을 제어하는 유전자가 밝혀져가는 한편 유전자이상 만으로는 노화 촉진을 설명할 수 없다. 따라서 외인설에서 거론되고 있는 여러 가지 스트레스 피하기와 외부환경 조절하기로 노화 촉진을 예방하는 것이 중요하다는 주장도 많다.

다음에 주요 내·외인적으로 본 노화이론을 소개한다.

1 산화스트레스설

하만(Harman, D.)은 산화스트레스가 노화를 촉진시킨다는 "The Free Radical Theory of Aging(노화의 활성산소학설)"을 주장하였다. 이것은 산

소호흡 중에 발생하는 활성산소(O_2)가 조직세포를 연속해서 손상시킴으로써 노화와 죽음을 발생시킨다는 주장이다.

최근 활성산소 관련 물질을 활성산소종(ROS : reactive oxygen species)으로 칭하고, 그것은 생산하고 소거시킬 수 있는 기구의 연구가 진행되고 있다. ROS에는 O_2^- 외에도 과산화수소(H_2O_2), 하이드록시래디칼(OH : hydroxy radical) 등이 있다. O_2^-의 주된 생산장소는 미토콘드리아의 전자이동계와 적혈구이다. 세포에 따라서는 적극적으로 O_2를 생산하기도 한다. 예를 들면 염증세포는 세포막에 극히 일부만 존재하는 NADH-옥시다

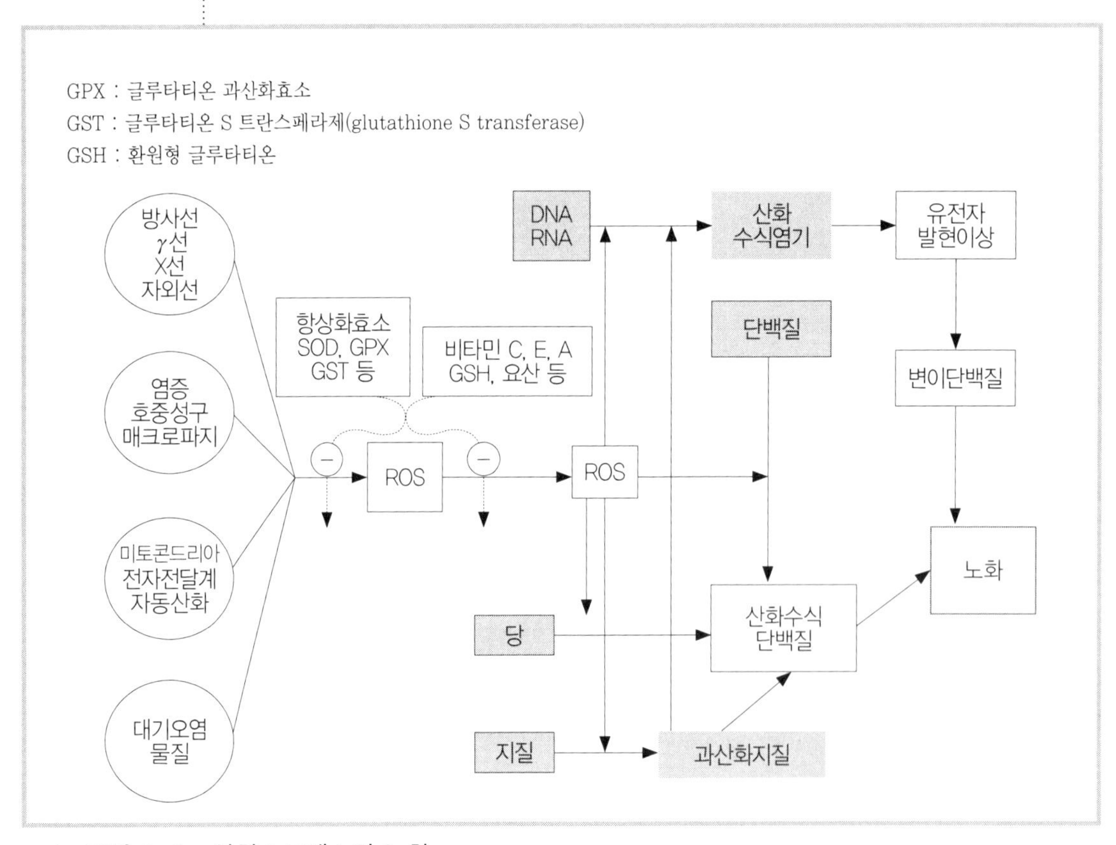

▶ 그림 1-1 산화스트레스와 노화

출처 : Stadtman, E. R.(2002). Importance of individuality in oxidative stress and aging. *Free Rad Biol Med.*, 33 : 597-604에서 변형 이용.

제(oxidase)의 활동으로 O_2를 생성하여 살균이나 탐식(貪食)을 진행한다. ROS에 의한 세포장애를 막을 목적으로 세포에는 소거 산소가 존재한다. O_2는 슈퍼옥시드 디스무타아제(SOD : superoxide dismutase)에 의해 H_2O_2로 변한다. H_2O_2는 글루타티온(glutathione) 과산화효소의 활동에 의해 소거된다. ROS와 소거 산소의 균형유지는 생체에서 중요한 부분이다.

그 외에 ROS는 여러 가지 조건하에 체내에서 발생하며, 산화스트레스로서 단백질 · 지방질 · 핵산을 산화수식(酸化修飾)한다. 산화수식된 생체 구성성분의 축적이 노화의 촉진으로 이어진다. 그림 1-1과 같이 어떤 산화스트레스라도 과잉되면 산화스트레스로 수식된 단백질이 증가하여 축적된다. 수식된 단백질은 교차결합하기 쉬워 프로테아솜(proteasome)으로 단백질 분해를 어렵게 만들게 하는 것도 하나의 원인이다.

산화스트레스의 원인으로 지목받는 흡연은 최근 그 분자기구가 밝혀지고 있다.

» 담배연기 자체에 포함되는 ROS가 내피세포를 손상시킨다.

» 니코틴이 NO 합성산소를 불활성화시켜 NO 합성 저하와 그 산소에 의한 ROS 생성을 초래한다.

» 니코틴이 크산틴 옥시다아제(크산틴산화효소, xanthine oxidase) 활성을 상승시켜 ROS를 생성한다.

» 흡연이 마크로파지(macrophage)나 호중성구(好中性球)에 의한 염증반응을 자극한다.

ROS는 양이 많을 때 세포를 손상시킨다. 그러나 소량의 ROS는 세포 내의 정보전달신호를 활성화시키는 활동을 하기도 한다. 더욱 중요한 것은 ROS의 농도에 따라 세포 내의 산화환원(reduction and oxidation, 약어 : redox) 상태가 변하는 것이다. 이 레독스(redox)는 세포 내 정보전달을 포함한 대부분의 세포기능의 제어와 관련이 있다는 것이 밝혀졌으며, 장기간의 파탄(破綻)이 노화촉진으로 이어진다고 본다.

2 대사조절설

모든 생명현상은 파괴와 창조, 분해와 합성이 반복되면서 탄생에서 죽음을 향해 불가역적 과정을 거친다. 1950년 쇤하이머(Schoenheimer)는 "생체의 구성성분은 항상 유동적으로 변화한다"는 것을 밝혔다. 몸의 모든 단백질에는 수명이 있으며, 그것이 개체의 수명과 관계가 있다는 것이 슈미트(Schmidt)의 대사조절설(代謝調節說)이다. 예를 들면 쥐처럼 몸이 작고 대사가 빠른 동물일수록 수명이 짧다는 것이다.

3 프로그램설

수명은 유전자에 의해 제어되며, 노화는 유전자에게 프로그램되어 있다는 설이다.

이것을 뒷받침하는 사실은 다음과 같다.

» 동물은 그 종에 따라 최대수명이 다르다.

» 동물을 교배하면 장수종(長壽種), 단명종(短命種), 조로증(早老種) 등을 만들 수 있다.

» 일란성 쌍둥이의 수명 차이는 2년 이내로 짧다.

» 사람의 세포배양으로 태아 유래의 섬유아세포(線維芽細胞)는 약 50회 분열하지만, 성인 유래의 세포는 20회, 워너(Werner)증후군 등의 조로증세포는 2회이다.

4 에러(error)설

DNA-RNA-단백질합성계(合成系)는 돌연변이, 화학수식(化学修飾)에 의해 변이한다. 이들이 모여 세포기능 손상과 노화를 불러온다는 설이다.

5 크로스링킹설

복수의 반응기(反應基)를 가진 물질이 가교가 되어 서로 다른 복수의 고분자와 결합하여 새로운 고분자를 만드는 것이 크로스링킹(cross-linking, 교차결합)이다.

이러한 물질은 분해되기 어려우며, 세포 손상을 일으킬 가능성이 있지만, 이들 물질이 노화의 원인이라는 설이다. 콜라겐은 연령증가와 동시에 크로스링킹이 증가하여 불용화(不溶化)한다. 이때 피부 · 동맥 · 관절의 경화를 불러일으킨다.

04 노화에 따른 변화

1 전신의 변화

■ 연령증가의 공통성과 개인차

생물학적 · 의학적인 의미에서 사람의 연령증가는 ① 모든 개체에서, ② 시간이 흐름에 따라 진행되며, ③ 심신의 기능장애를 발생시킨다는 특징이 있다.

한편 연령증가에는 개인의 생활양식, 삶의 방식이나 개인적 경험, 나아가 의료를 포함한 여러 가지 환경 관계 · 상호작용이 영향을 미치며, 진행성 기능장애의 억제 또는 촉진이 복잡하게 관련되어 있다. 그 때문에 시간이 경과함에 따라 건강이나 허약함의 정도에 개인차가 심하게 나타난다. 심한 개인차 자체를 고령자의 특정적 소견이라고도 할 수 있다.

고령자란

'고령자'란 일반적으로 65세 이상을 가리킨다. 연령증가에 따른 변화는 연속적이고 개인차도 크기 때문에 개개인에 대한 적용이나 인식은 충분히 유의할 필요가 있다. 또한 '연령증가'는 탄생 이후 점진적으로 나타나는 인체의 변화이다. 이 경우는 거의 성인 이후로 한정되며, 오히려 고령을 보다 더 의식한 변화를 가리킨다. 이러한 의미에서 '노화'와 거의 같은 의미라고 할 수 있다.

조직과 기관에 공통된 변화

연령이 증가하면 세포핵이나 세포질에 변화가 일어난다. 핵은 점차 증대하고, 핵소체도 커진다. 단백질용량은 증가하지만, 그 합성은 감소한다. 세포 내 소기관도 다양하게 변한다. 전체적으로 볼 때 세포는 연령증가에 따라서 커지는 한편, 분열하고 증식하는 능력은 떨어진다.

연령증가에 따라 조직에도 여러 가지 변화가 일어난다. 그 일부는 세포외기질(세포 밖에 있지만 세포와 밀접하게 연관된 고분자들. 콜라겐, 엘라스틴, 당단백질, 성장인자 등)인 콜라겐의 구조에 발생하는 불가역적인 변화이며, 또 조직 중의 엘라스틴 함량 감소이다. 이러한 변화에 의해 조직은 경화(굳어짐)되어 신축성이나 유연성이 상실된다.

한편 각 기관의 생리학적 예비능력은 30세 정도부터 직선적으로 하강한다(그림 1-2). 각 기관의 예비능력은 크기 때문에 곧바로 기능저하를 일으키지는 않지만, 예비능력이 감소하면 기관이 고도의 스트레스에 노출되어 기능저하나 기능부전을 일으키기 쉽다.

기능저하가 복합적으로 얽혀 질병으로 진행되기도 한다. 그렇게 해서 고령화와 크게 관련된 전도 · 만성현기증 · 요실금 · 섬망 등이 조합된 증세가 나타나기 시작하면 '노인증후군' 상태가 된다(그림 1-3).

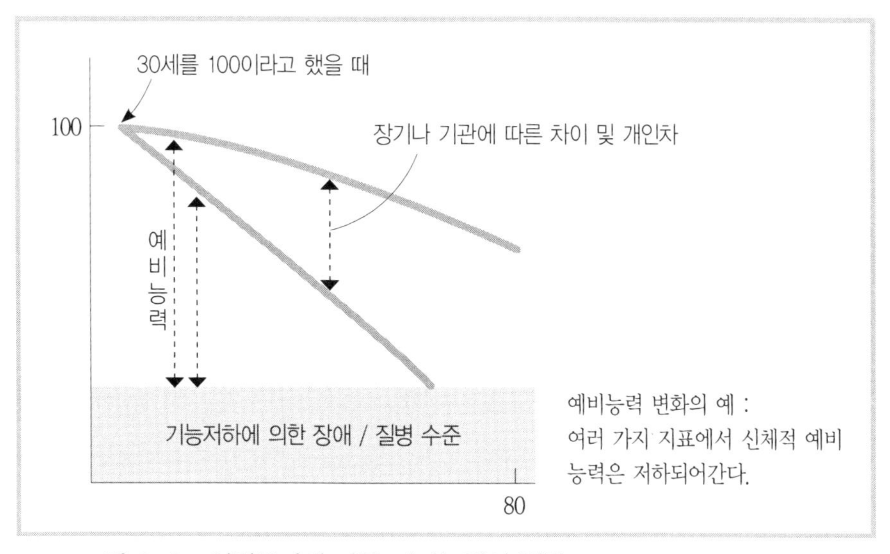

▶ 그림 1-2 연령증가에 따른 예비능력의 변화

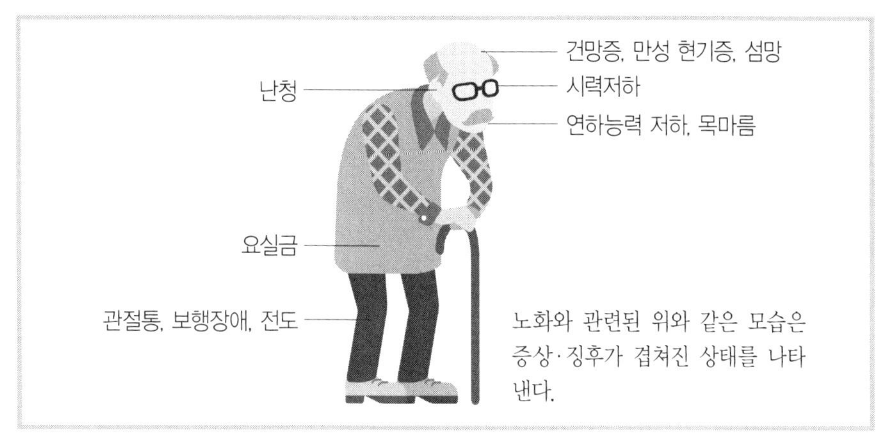

▶ 그림 1-3 노인증후군

■ 항상성의 변화

항상성(homeostasis)은 시시각각 변화하는 외부환경에 대응하여 체내의 환경을 일정하게 유지하려고 하는 조절능력을 말한다. 격렬한 외부환경의 변화에 어느 정도로 적응할 수 있는가는 개인차가 있지만, 일반적으로 노화에 의해 이러한 조절능력은 저하된다.

대표적인 항상성은 체온조절과 체액조절이다. 예를 들어 외부기온이 저하되면 피부 · 혈관 등이 수축하여 열 손실을 방지하고, 골격근의 떨림으로 열 생산을 증가시킨다. 이렇듯 외부기온의 변화에 대응하여 방열조절 · 체열생산 등으로 체온을 유지시킨다. 고령자는 추울 때의 떨림이나 더울 때의 발한이 감소하여 체온조절능력이 저하된다. 그 결과 이상고온이나 이상저온일 때 사망률이 높아진다. 따라서 고령자는 환경온도를 적절하게 유지할 필요가 있다(그림 1-4).

또한 체액량은 연령이 증가하면 감소하게 된다. 이것은 주로 세포내액량의 감소에 따른 것이다. 세포내액량에는 그다지 변화가 없으며, 그 전해

▶ 그림 1-4 체온조절능력의 저하

질농도도 일정하다. 그런데 고령자는 여러 기관의 예비능력저하로 인해 탈수가 일어나기 쉬우며, 이때 전해질에 이상이 생길 가능성이 높아진다. 특히 나트륨농도 저하, 칼륨농도 상승 및 저하 등이 발생하기 쉬워진다.

2 피부

■ 피부의 변화

피부로 연령을 추정하기도 하는데, 확실히 피부는 연령을 어느 정도 반영한다. 색소침착 · 주름 · 처짐 · 백발 · 벗어진 머리 등이 대표적이다.

피부는 연령증가와 함께 얇아진다. 표피의 기저층에 있는 멜라닌세포는 줄어들지만 크기는 커진다. 이러한 변화에 의해 표피는 얇아지고 투명화된다(얇아짐).

진피는 콜라겐섬유의 변화로 인해 강도나 신축성이 줄어든다. 진피에 있는 혈관은 수가 줄어들며 약해진다. 그 때문에 노인성자색반(peliosis, 자색반)이라 불리는 출혈반(지름 1cm 이상의 피부밑주름)이 쉽게 발생한다. 또한 피하조직을 포함한 혈관수의 감소에 의해 피하에 투여되는 약제의 흡수가 저하된다. 더불어 손상된 피부는 회복과정이 더뎌져 욕창 등으로 발전하기 쉽다.

피부기름샘(sebaceous gland, 피지선)의 수가 감소하고 피부기름의 분비가 저하된다. 그 때문에 피부는 점차 건조해진다. 땀샘, 특히 발한에 관련된 에크린샘은 연령증가에 따라 수가 감소하며, 분비량도 줄어든다. 또한 발한능력이 저하됨으로써 외부기온의 변화에 대응하는 능력이 저하된다.

■ 모발 · 손톱의 변화

나이가 들면 모발과 손톱도 변화한다. 털주머니 속 멜라닌 생산의 감소로 인하여 백발이 된다. 일반적으로 전신의 모발이 점차 얇아지고 가늘어지며 수가 줄어든다. 특히 남성의 머리카락에 현저하게 나타난다. 손톱밑동의 혈액공급이 감소되어 손톱은 얇아지며, 광택이 나지 않고 약해진다. 손톱이 빨리 자라지 않고 세로로 줄이 생겨 깨지기 쉬워진다.

3 뇌신경계통

■ 뇌의 변화

노화가 되면 머리는 육안으로 보아도 작아진다. 그런데 위축 정도에는 개인차가 크며, 고령이 될수록 차이가 현저해진다. 위축은 CT, MRI 등으로 보면 겉질(cortex, 피질) · 백색질 부피의 감소, 뇌실의 확대를 볼 수 있다. 특히 이마엽(전두엽)과 관자엽(측두엽)에 이러한 현상이 현저하다. 또한 위축을 반영하여 뇌의 무게가 감소한다.

조직 · 세포 수준에서 보면 신경세포의 감소, 시냅스의 감소, 신경세포 기능의 저하 등의 현상이 생긴다. 그리고 대뇌겉질(대뇌피질)에 신경원섬유의 변화, 세포내공포(physalis) 변성, 노인성반점 등이 보인다. 이들 소견은 단순한 노화일 때에는 해마 등에 한정적으로 나타나지만, 알츠하이머 등에서는 광범위하게 볼 수 있다.

노화가 되면 뇌혈관도 변화하여 뇌동맥에 동맥경화나 아밀로이드침착 현상이 발생한다. 순환계통에도 영향을 주어 뇌혈류가 감소한다. 이러한 변화도 혈압 · 생활습관 등과 관련되어 있으며, 개인차도 있다.

■ 신경의 변화

노화가 되면 뇌 각 부위의 신경전달물질은 대체로 감소한다. 더불어 그것을 담는 용기라 할 수 있는 신경전달물질 수용체도 역시 감소한다.

이러한 변화는 기능적으로 자극에 신속하게 반응하는 능력의 저하를 초래한다. 반응시간도 점차 지연된다. 다양한 정보 앞에서 선택지가 다양하게 있을 때, 반응이 복잡한 것일수록 지체된다. 평형 · 자세유지 · 운동기능 등의 저하에도 신경계통의 변화가 영향을 주며, 반사기능도 저하된다.

또한 노화가 되면 잠들기까지 걸리는 시간이 길어지며, 깊은 수면(서파수면)의 양이 감소하고, 야간의 각성도 자주 발생한다. 야간빈뇨 등 신체적 원인이 더해지면 이러한 현상은 더욱 현저해진다.

4 호흡계통

허파(폐)는 장기간에 걸쳐 외부공기에 들어 있는 화학물질 · 미생물 등의 영향을 항상 받고 있다. 이러한 영향 · 생체의 반응 · 상호작용 등은 서로 얽혀 현재 허파의 상태를 형성하고 있어서 어디까지가 노화의 영향인지는 실제로 명확하지 않다.

연령증가에 따른 호흡계통의 변화는 허파 그 자체의 변화와 허파기능을 가능하게 하는 허파 이외의 변화, 즉 호흡중추 · 신경 · 근육 · 골격의 변화로 나누어 이해할 필요가 있다. 이러한 변화에 의해 호흡기능은 전체적으로 저하된다(그림 1-5의 ⓐ).

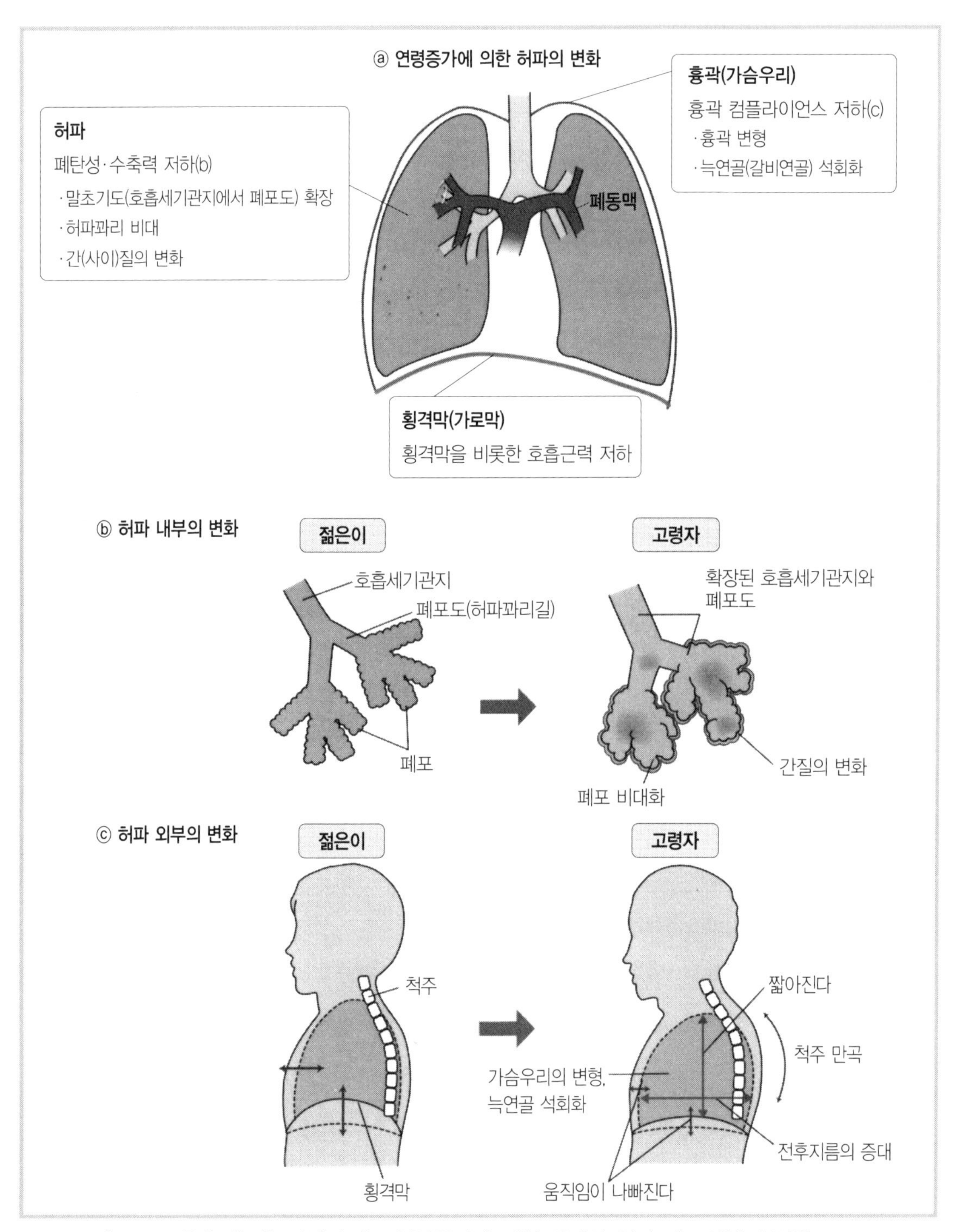

▶ 그림 1-5 호흡기능을 저하시키는 연령증가에 의한 허파와 허파 내 · 외부의 변화

노화에 의한 허파의 변화는 호흡세기관지에서 허파꽈리(폐포)로 가는 기도의 확장이 확인된다. 허파꽈리는 파괴되지는 않지만 비대화되며, 허파꽈리벽은 얇아진다. 모세혈관은 감소한다. 그러한 작용들에 의해 허파는 점차 허파기종(폐기종)과 유사한 상태로 된다. 사이질(간질)도 변화하여 허파 전체에서 탄성수축력이 감소한다(그림 1−5의 ⓑ).

허파 외부의 변화로는 호흡중추로의 응답성은 비교적 유지되고 있다고 여겨진다. 골격이 점점 변하여 가슴우리(흉곽)는 장축방향으로 단축되고 앞뒤지름이 증대한다. 그리고 갈비연골의 석회화 등이 더해지며 가슴벽은 딱딱해지고 가슴우리의 컴플라이언스는 저하된다. 가로막(횡격막)을 시작으로 호흡근력도 저하된다(그림 1−5의 ⓒ).

이들 허파와 허파 외부의 변화에 의해 호흡기능은 차츰 변화하며, 잔기량(殘氣量) 증대, 허파활동 감소, 1초량의 저하 등이 발생하기 시작한다(그림 1−6). 나이가 드는 것만으로 일상적인 생활에 영향을 미칠 만한 기능저하는 통상적으로 일어나지 않지만, 예비능력이 저하되기 때문에 폐렴 등의 질병이 발생하면 호흡기능상실(호흡부전)이 되기 쉽다.

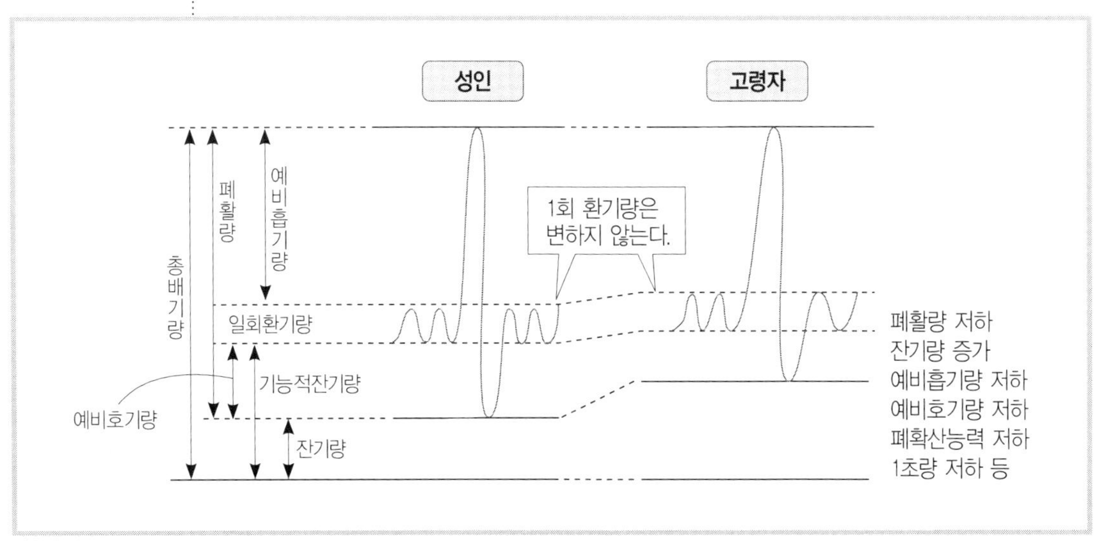

▶ 그림 1−6 연령증가에 의한 호흡기능의 저하

5 순환계통

■ 심장의 변화

연령이 증가하면 심방의 용적이 늘어난다. 연령증가에 따라 심장근육의 사이질에 섬유화가 발생한다. 심박수는 감소하지만 그만큼 1회박출량은 증가한다. 이에 따라 심박출량은 대체로 유지되기 때문에 연령증가만으로는 심장의 주된 기능인 펌프기능을 저하시키지 않는다.

그러나 예비능력은 저하된다. 즉 운동을 부하하면 그에 맞춰 심박출량이 증가(운동 시에는 몇 배나 필요하게 된다)하는데, 이것은 연령이 증가하면 힘들게 된다. 베타 아드레날린수용체계의 기능저하나 심장근육 수축력의 반응저하 등이 영향을 끼치고 있다고 볼 수 있다.

판막의 지름은 확대된다. 대동맥판막과 승모판막 모두 경화 · 석회화현상이 보인다. 정도가 심하면 판막협착이나 폐쇄부전을 발생시킬 가능성도 있다.

한편 자극전도계도 세포수 감소와 섬유화가 진행되어 심방세동이나 동부전증후군(sink sinus syndrome), 방실블록(atrioventricular block, 방실차단) 등 여러 종류의 부정맥 발생 기반이 된다. 실제로 이러한 부정맥은 고령자일수록 많아지는 경향이 있다.

■ 혈관의 변화

연령이 증가하면 동맥의 속막이 두터워지고 혈관벽은 탄성판이 변화하여 전체적으로 딱딱함이 증가함과 동시에 신전성(伸展性)이 약해진다. 또한 둘레가 확대되어 장축 방향으로 늘어나는 변화도 발생한다. 기능적으로는 이러한 경화성 변화에 의해 수축기혈압이 올라가기 쉬워진다.

한편 확장기혈압은 저하되기 쉬우며, 그 결과 맥압은 상승 경향이 된다. 또한 혈압의 신경성 조절기능인 압수용체기능이 저하되며 일일변동이 심해지기 쉽다.

6 소화계통

소화계통은 입술부터 항문까지의 관강(管腔; 파이프구조)장기와 간 · 쓸개(담낭) · 이자(췌장)과 같은 실질장기로 나누어진다.

음식물의 소화 · 흡수 · 배설이라는 중요한 기능을 가진 관강장기에는 구강(입~목구멍) · 인후 · 식도 · 위 · 소장 · 대장이 포함된다. 그리고 그 주변에 관강장기로 분비액을 내보내는 외분비샘이 있는데, 거기에는 침샘(타액선) · 간 · 쓸개 · 이자가 있다. 관강장기, 특히 대장에는 세균총이 풍부하여 세균의 수는 한 사람당 100조를 넘는다고 한다. 그리고 연령과 이들의 공생 관계가 주목받기 시작하였다.

구강에 대해서는 뒤에 상세히 설명하였으며, 타액(침)분비는 연령의 영향으로 저하되기 쉽다. 구강 속이 건조하면 미각저하나 식욕부진으로 이어질 가능성이 있어서 연하장애의 원인 중 하나가 되기도 한다.

식도는 연령증가의 영향을 덜 받지만, 근위축이나 신경총의 기능저하로 연동(蠕動)운동에 이상이 일어나기 쉽다. 또한 하부식도괄약근의 이완, 위액의 역류도 비교적 자주 발생한다. 고령자일수록 위점막위축이 발견된다. 이것은 위의 헬리코박터 파일로리균(Helicobacter pylori) 감염에 대한 지식이 증가함에 따라 위점막 위축은 감염에 의한 영향쪽이 오히려 크다고 보고 있다.

소장은 점막의 융모가 짧아지는 등 연령증가로 인한 변화가 있기는 하지만, 소화흡수능력은 크게 저하되지 않는다. 대장은 근육층 · 결합조직의 위축으로 운동능력이 저하된다. 배변습관은 젊은이와 큰 차이는 없지만, 고령자는 변비를 호소하는 사람이 많으며, 배변이 불편한 경우도 많다. 예비능력이 감소하여 식사환경 · 몸상태 등의 변화에 의해 용변이상이 발생하기 쉽다. 또한 고령자의 대장세균총에서는 비피두스균(bifidus)이 줄어들며, 웰치(Welch)균이 늘어나는 등의 변화가 지적되고 있다. 용변이 불편한 것은 장내 환경과 몸상태가 관련되어 있을 가능성도 있다.

실질장기인 간은 무게나 혈류가 점차 저하된다. 간세포 수는 감소하지만 간 기능의 약화와 관련되지는 않는다. 간의 알부민 생산이 저하되어 저알부민혈증이 발생하기 쉽다. 또한 약물의 대사능력이 저하되기 때문에 약물부작용이나 약제성 간기능장애가 발생하기 쉽다.

7 내분비 및 대사계통

내분비계통은 많은 조직으로 구성되어 있지만, 기능은 호르몬의 생산과 분비이다. 노화에 의해 각종 호르몬은 그 분비나 대사에, 그리고 표적장기의 응답성에 변화가 생기기 시작한다. 일반적으로는 각종 호르몬 중에서도 생육이나 생식에 관련된 호르몬, 예를 들어 성장호르몬이나 생식샘(성선)호르몬 등의 분비샘은 노화에 의해 위축된다. 그러나 생명 · 생활의 유지에 필요한 호르몬은 변화가 적다.

■ 생식샘계통의 변화

여성은 난소기능 저하에 의해 폐경이 되며, 난소위축 진행과정에 의해 난포호르몬(에스트로겐)과 황체호르몬(프로게스테론)의 분비가 비교적 신속하게 저하된다(그림 1-7). 그리고 많은 주요장기가 에스트로겐 수용체를 가지고 있어서 많든적든 영향을 받으며, 연령증가에 의한 변화가 강해진다. 특히 골밀도저하, 지질이상, 동맥경화촉진, 자율신경조절기능 저하 등이다.

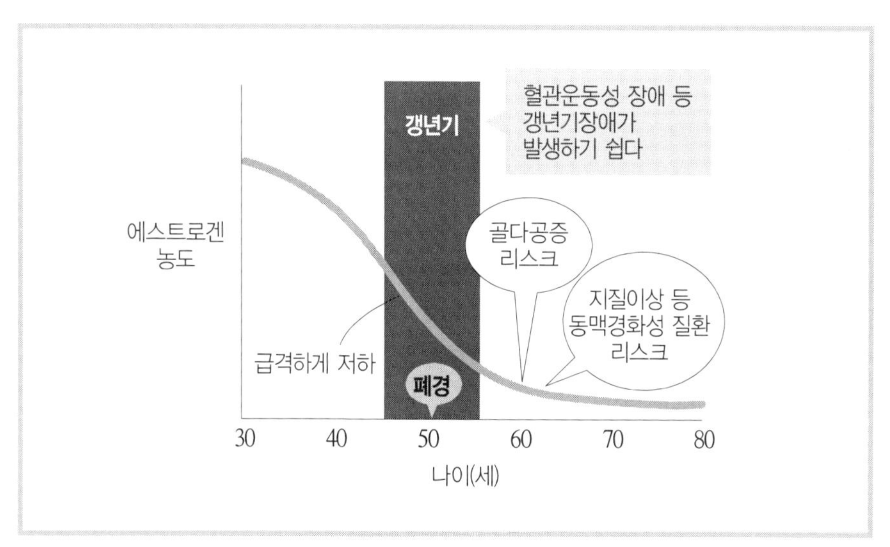

▶ 그림 1-7 여성의 에스트로겐 농도의 연령대별 변화와 그에 따른 리스크

남성은 노화에 의해 정소가 위축되고, 성호르몬인 테스토스테론이 천천히 감소된다(그림 1-8). 이는 개인차가 커서 전혀 변화하지 않는 사람도 있다. 또한 동맥경화도 촉진된다.

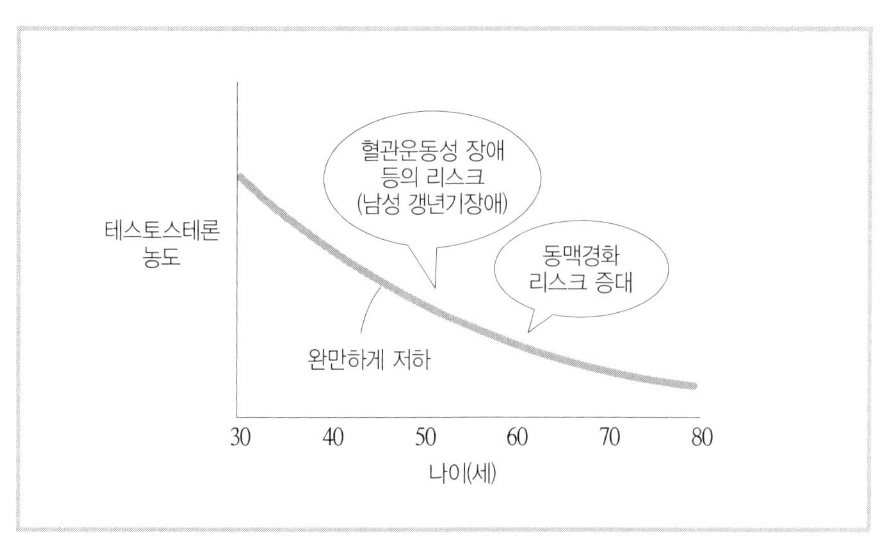

▶ 그림 1-8 남성의 테스토스테론 농도 저하와 그 리스크

■ 당(糖)대사의 변화

연령이 증가하면 일반적으로 당내성(내당능)이 저하된다. 원인은 이자(췌장)에 있는 랑게르한스섬의 베타세포에서 인슐린 분비가 저하되거나 표적기관의 인슐린에 대한 반응성 저하(인슐린저항성)에 의해 발생한다고 보고 있다. 그런데 저하의 메커니즘은 아직 명확하게 밝혀지지 않았다. 연령증가에 의한 공복시혈당 변화는 거의 없으며, 당 부하 후의 혈당치 복귀에 시간이 걸리는 형태를 띠기 쉽다고 한다. 당뇨병에 대한 리스크이기는 하지만, 연령증가만으로 증상이 발현되는 것은 아니다.

8 콩팥 · 비뇨계통

■ 콩팥의 변화

연령이 증가하면 토리(사구체)에 변성 · 감소가 일어나며, 네프론 기능도 저하된다. 또한 토리(사구체)의 경화로 모세혈관의 감소 · 소실을 초래가 점점 증가하여 토리의 기능이 전체적으로 저하된다. 또한 콩팥(신장)혈관에는 경화성 변화가 일어나 콩팥혈류량이 저하된다. 이러한 원인으로 콩팥예비능력이 저하된다. 고령자는 고혈압의 빈도가 높아지기 때문에 고혈압에 수반되는 콩팥경화증도 그만큼 일어나기 쉽게 된다.

한편 콩팥속질(신수질)의 요세관에서는 항이뇨호르몬의 작용으로 소변이 농축 · 희석된다. 고령자는 요세관 위축이나 호르몬에 대한 반응성 저하 등 콩팥속질(신수질)기능저하도 이루어지기 쉬워 농축력 · 희석력 모두 저하된다. 요농축력이 저하되면 혈액 중의 수분상실에 의해 탈수를 일으키기 쉬워지는 한편, 소변량 증가에 의한 배뇨횟수 증가나 야간빈뇨가 발생하기 쉽다.

■ 방광 · 전립샘의 변화

연령이 증가하면 방광벽의 근육이나 탄성조직이 점차 섬유화된다. 이에 따라 방광의 수축 · 확장력은 감퇴된다. 또한 괄약근의 근력저하에 의해 출구를 오므리게 하는 기능도 저하된다. 이러한 것들 때문에 방광이 충분히 확장되지 않았는데도 요의를 느끼고, 수축 불충분으로 잔뇨가 생기기 쉽다. 그 결과 배뇨횟수가 증가하거나, 요선이 가늘어지거나, 요가 쉽게 새어 나오는 등 배뇨이상이 많건 적건 일어나기 시작한다(그림 1-9의 ⓐ). 남성은 전립샘이 연령증가에 의해 비대해지기 시작한다. 비대화된 전립샘은 요류를 감소시키거나 때로는 두절되기도 한다(그림 1-9의 ⓑ)

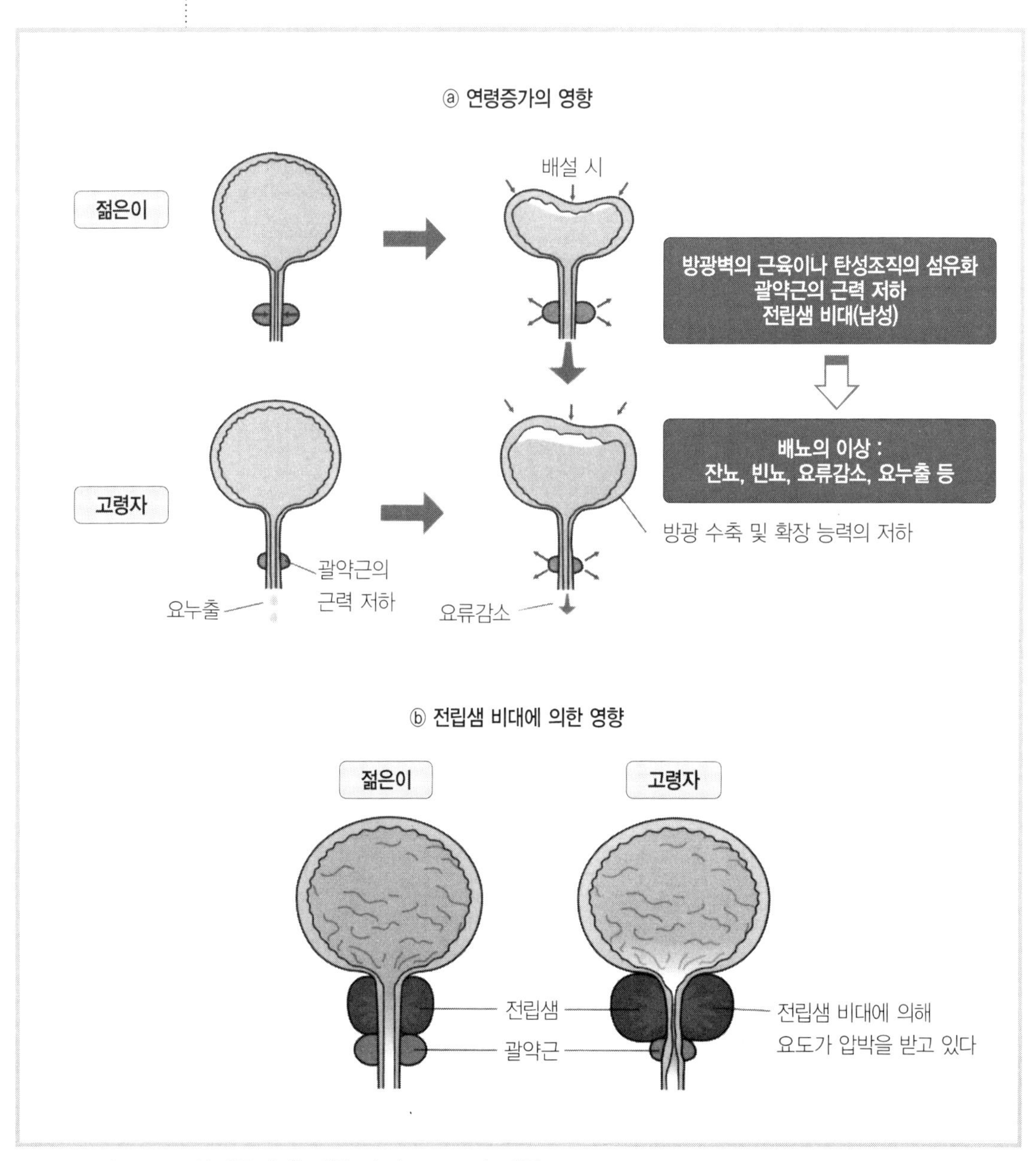

▶ 그림 1-9 연령증가에 의한 방광 · 요도의 변화

9 조혈기(造血器) 및 면역계통

■ 조혈능력의 변화

혈액세포(적혈구, 백혈구, 혈소판)는 뼈속질(골수)로 만들어지는데, 연령증가에 의해 뼈속질 중의 조혈용적은 점차로 감소하여 지방속질(지방조직으로 된 황색의 뼈속질)로 대체된다.

그런데 혈액세포의 토대가 되는 조혈줄기세포의 노화에 의한 수는 변화가 크지 않다고 본다. 증명된 바는 없지만, 노화에 의해 조혈줄기세포의 기능은 저하되는 것으로 보고 있다. 그 간접적 근거는 연령증가에 따른 빈혈 · 면역능력의 저하 · 백혈병 등 뼈속질증식성 질환의 증가 등을 들 수 있다.

■ 빈혈

고령자는 원인을 특정할 수 없는 빈혈이 간혹 생기는데, 이는 연령증가에 따른 빈혈로 볼 수 있다. 원래 헤모글로빈농도 등 빈혈의 지표는 청장년층은 여성이 남성보다 낮지만, 고령자는 남녀차가 없어진다. 그 원인은 에리쓰로포이에틴에 대한 반응 저하 등으로 언급되고 있는데, 메커니즘은 아직 충분히 해명되지 않았다. 병적이지 않은 경우도 많지만, 오랜 경과를 통해 골수형성이상증후군 등 혈액 관련 병으로 진전될 수도 있으므로 주의해야 한다.

■ 면역기능의 변화

임상적으로 고령자의 면역기능저하는 다수 확인된다. 고령자의 대상포진 바이러스감염증이나 결핵의 재활성화가 그것의 한 예이다. 또 고령자에게는 암도 많이 발생하는데, 이것도 면역기능조절 저하와 관련되어 있다. 각종 면역세포의 연령증가에 따른 변화를 그림으로 제시한다(그림 1-10).

그런데 면역기능저하의 메커니즘은 아직 충분하게 밝혀지지 않고 있다. 림프구에 대한 연구에서 연령증가에 의한 헬퍼T세포(helper T cell)와 서프레서T세포(suppressor T cell)의 변동이 지적되고 있는데, 이것으로 면역기능저하나 이상을 전부 설명할 수는 없다. 결국 면역기능저하에 대한 해명은 앞으로의 연구과제이다.

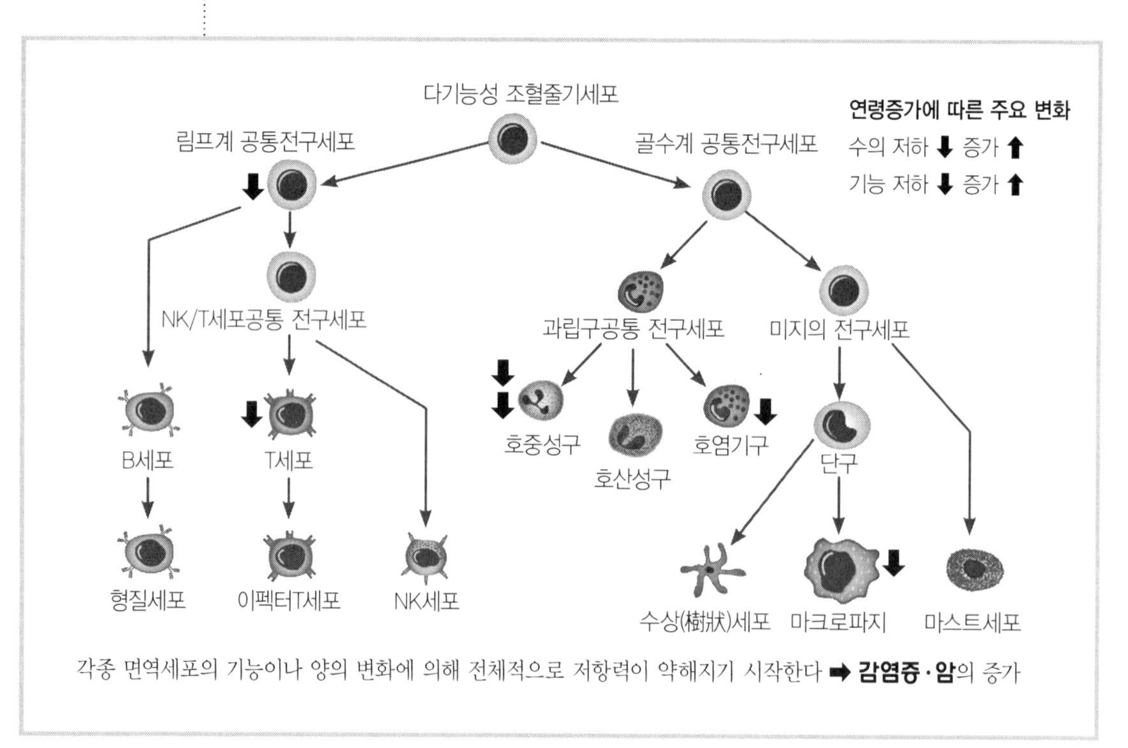

▶ 그림 1-10 각종 면역세포의 기능이나 양의 변화

⑩ 운동기관

운동기관은 뼈 · 관절 · 근육(힘줄 · 인대 포함)으로 이루어져 있으며, 기관의 노화는 일상생활 기능에도 크게 영향을 미친다. 여기에서는 각각의 변화를 서술하고, 운동기능은 뒤에 설명한다.

■ 뼈의 변화

연령증가에 의한 뼈의 변화로서 가장 눈에 띄는 것은 골량 · 골밀도의 저하이다. 이것이 진행되면 골다공증이 된다. 뼈는 항상 형성과 흡수가 이루어지고 있는데, 그 밸런스가 골흡수쪽으로 기울면 골량이 감소된다.

골량이 같더라도 고령일수록 골절발생률이 높아진다. 이것은 노화하면 골량뿐만 아니라 골질도 변화하기 때문이다.

■ 관절의 변화

노화에 의한 관절의 변화 중에서 관절표면을 덮는 관절연골의 변화가 가장 중요하다. 이 관절연골은 연령증가나 여러 해에 걸친 하중부담에 의해 마모나 변성을 발생시킨다. 이러한 변화가 진행된 상태가 변형성관절증이다.

■ 근육의 변화

연령이 증가하면 일반적으로 근육중량은 감소된다. 근육섬유는 위축되는데, 나이가 들면 조직의 재생이 느려지기 때문에 위축된 부분은 섬유조직으로 대체된다. 손이 변하는 모습처럼 마르고, 딱딱하고, 뼈가 앙상하며, 뼈사이(골간)가 깊어진다(그림 1-11).

한편 신경계통의 변화도 거듭되어 움직임이 느릿느릿해진다. 또한 근육의 변화에 대응하여 관절가동범위도 서서히 좁아진다. 불수의적인 연축도 일어나기 쉽고, 근력의 강도와 지속력도 저하된다.

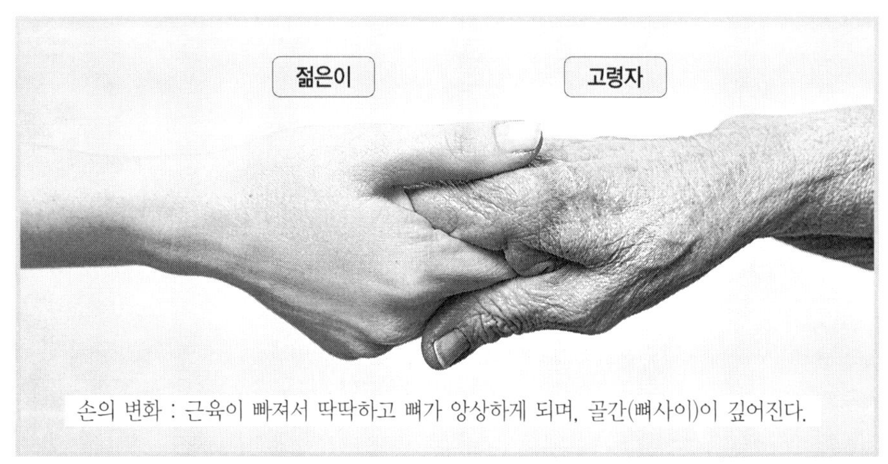

손의 변화 : 근육이 빠져서 딱딱하고 뼈가 앙상하게 되며, 골간(뼈사이)이 깊어진다.

▶ 그림 1-11 연령증가에 의한 근육(손)의 변화

11 감각계통

■ 시각의 변화

연령증가에 의해 각막 · 수정체의 굴절력 변화, 시각세포기능 저하, 시력 저하 등이 일어난다. 백내장이나 연령증가에 의한 황반변성 등이 발생하면 시력은 한층 더 저하된다. 눈(안구)굴절도는 원시방향으로 이동해간다. 그리고 눈(안구)조절력이 저하됨으로써 노안이 발생하기 시작한다. 또한 망막에 도달하는 빛의 질과 강도를 조절하는 기능이 전체적으로 저하되며, 수명(눈부심), 암순응이나 명순응의 감퇴, 주변 시야의 감소 등의 증상이 시작된다(그림 1-12). 이러한 시각의 변화 때문에 야간에 이동할 때 넘어지기 쉬워 창상(創傷) 등의 원인이 되기도 한다.

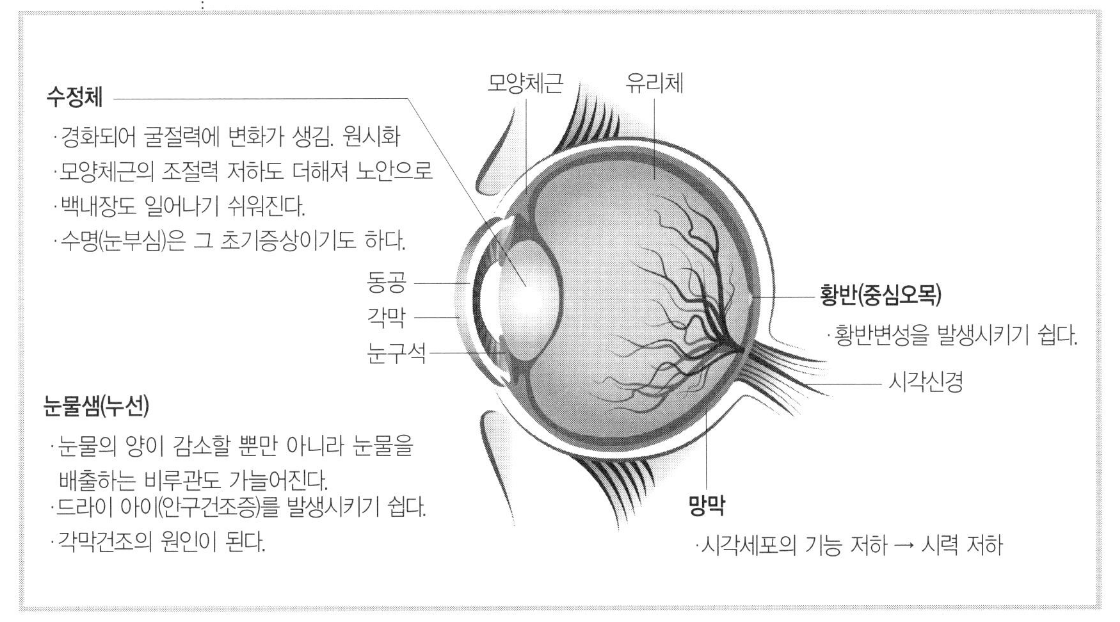

▶ 그림 1-12 연령증가에 의한 시각의 변화

■ 청각의 변화

귀는 외이 · 중이 · 내이로 나누어지는데, 연령증가에 따라 가장 많이 변화하는 곳은 내이이다. 내이기능에 장애가 생기면 청력, 말 알아듣기, 평형감각 등이 저하된다. 구조적으로는 와우(달팽이관) 위축, 전정기관의 퇴행변성이 발생한다. 그것에 의해 청력이나 평형감각의 기능저하가 일어나기 시작한다. 감음성(소리가 잘 안 느껴지는 것)의 청력저하는 양측성으로, 고음역부터 서서히 시작된다. 진행되면 저음역의 청력도 저하되기 시작한다. 이명도 종종 수반된다.

대화 이해능력은 고음성의 감음난청에 의해서도 영향을 받는다. 특히 고음역 청취가 나쁘기 때문에 비슷한 음의 식별이 어려워지고 대화를 따라가기 곤란하게 되기 쉬운 경향이 있다. 게다가 고차적 청각중추에서의 정보처리기능이 떨어지기 시작하기 때문에 빠른 대화를 이해하는 것이 곤란해진다.

■ 미각 · 후각의 변화

고령자의 미각에서는 감각역치가 상승하는 경향이 있다고 하는데, 개인차가 상당히 있다. 조직적으로는 미뢰(맛봉오리)의 감소, 설유두(혀유두)의 위축, 신경경로와 미각중추의 기능저하 등이 관계된다. 기능상으로는 예비능력이 크기 때문에 미각의 감퇴는 일반적으로는 그렇게 강하게 일어나지 않는다. 오히려 전신질환, 사용약제, 아연섭취 저하 등의 영향으로 미각 변화가 발생한다. 그리고 미각은 후각저하의 영향을 강하게 받는다.

후각도 연령증가에 의한 말초부터 중추까지의 위축 등과 같은 조직적 변화는 있지만, 후각저하가 명료하게 일어나는 것은 아니다. 역시 예비능력 저하를 받아 생활습관이나 질병의 영향을 받기 쉬우며, 흡연이나 만성적인 부비강염 등이 있으면 기능저하가 명확하게 나타나기 시작한다.

12 구강하악계

구강하악계(악구강계)는 섭식(저작, 연하), 조음(調音)과 연관되어 있으며, 일상생활 · 사회생활에서 중요한 기능을 갖고 있다. 구강하악계 전체의 건강은 당뇨병 등 전신질환의 영향을 강하게 받는다. 한편 영양섭취 정도나 치주질환 등이 전신건강에 미치는 영향도 크다.

치아는 나이를 먹어갈수록 충치나 치주질환에 의해 상실된다. 이러한 일들의 근본은 치과질환이며, 나이가 많아져서 변화하는 것은 아니다. 즉 여러 해에 걸친 치아의 케어에 크게 좌우된다. 치아 그 자체는 연령증가에 의한 기능상의 변화는 적다.

■ 연하기능의 변화

연하는 음식물이 입→인후→식도를 통과하여 위에 다다르기까지의 과정을 뜻한다. 이 기능이 저하되면 음식물이 기도로 들어가 오연성 폐렴을 발생시킨다. 오연성 폐렴은 고령자일수록 많이 발생한다.

고령자는 복합적인 이유로 연하기능이 저하되기 쉽다. 그것은 나이가 들어가면서 진행되는 치아 상실, 혀의 운동기능 저하, 저작능력 저하, 타액(침)의 분비 저하, 구강감각의 둔화, 미각의 저하 등이다.

인후에서도 후두의 위치저하에 의한 연하 시의 후두거상 불충분이나 상부 식도괄약근 등의 근력저하 등에 의해 후두의 폐쇄가 불충분해지면 오연이 일어나기 쉽다. 또 인두수축근의 수축력이 저하되어 인두에 타액 및 음식물이 잔류하는 경우도 있다. 약물의 부작용이나 식욕저하, 연하장애를 발생시키는 합병질환에 의해 연하기능이 저하되는 경우도 있을 것이다.

⑬ 정신상태의 변화

■ 심적 스트레스

노년기에는 많건적건 간에 연령증가에 의한 신체적 · 생리적 변화, 배우자나 친구를 잃는 경험, 은퇴로 인한 사회적 역할 상실, 가정형편에 의한 이사 등이 거듭되기 쉽다. 따라서 노년기는 이러한 환경의 변화에 의해 중대한 스트레스를 경험하는 시기라고 할 수 있다. 많은 사람들은 본인의 심리적 적응력 · 사회적 지원 등에 의해 위기를 극복해 간다. 그런데 우울한 상태에 빠진 채로 노년기 우울증이 발병되는 사람도 있다.

■ 성격(personality)

고령자 특유의 성격은 온후하고 모가 나지 않는다 등 긍정적인 이미지가 있다. 그런데 내향적 · 완고 · 신중 · 고고(孤高) · 불안 등 부정적인 이미지도 가지고 있는데, 오히려 이쪽이 강조되는 사람도 있다.

그러나 심리학적 연구가 진행됨에 따라서 이러한 이미지는 상당 부분 수정되어 왔다. '완고함' 등은 원래부터 가지고 있던 성격 특성이 인지능력 저하에 따른 억제력 저하나 판단능력 저하에 의해 나타나는 결과로 보고 있다. 이러한 의미에서 노년기에는 그때까지 형성되어 온 성격 특성이 첨예화되기 쉽다는 측면을 가지고 있다고도 할 수 있다.

⑭ 지적 기능의 변화

치매는 기억장애와 밀접하게 관련되어 있기 때문에 지적 기능과 기억 기능을 동일시하는 경향이 있다. 그런데 실제로 지적 기능은 방향감각 · 이해력 · 판단력 · 언어에 의한 커뮤니케이션 등 고차적인 뇌기능에 이르기까지 폭넓게 관련되어 있다. 기본적으로는 뇌신경계의 노화와 밀접하게 관련되어 있다. 기질적인 변화는 앞의 뇌신경계에서 설명하였으며, 여기에서는 지적기능 중 주의와 기억에 대해 설명한다.

■ 주의

심리학적으로 보면 '주의'의 내용은 여러 갈래에 걸쳐 있는데, 연령과 관련 지을 때에는 '선택적 주의'가 문제가 된다. 선택적 주의란 떠들썩한 파티(방해자극)장에서도 가까운 곳에 있는 사람의 이야기를 선택적으로 알아듣고 대화하는 것과 같이 필요한 정보를 선택하는 능력이다. 나이가 많아지면 방해자극의 영향을 받기 쉽다고 한다.

한편 몇 가지 일을 실수 없이 병행처리하는 것을 주의분할이라고 하는데, 이때 과제가 복잡해질수록 고령자의 처리능력이 저하된다고 여겨지고 있다. 전반적으로 고령이 될수록 불필요한 정보처리를 선택적으로 억제하는 일이 곤란해지기 시작한다.

■ 기억

기억을 정보처리 과정으로 분류하면 기명(記銘 : 새로운 기억을 머리

속에 새기는 것), 파지(把持 : 받아들여진 정보를 계속 유지하는 것), 재생(再生 : 보존된 내용을 재생하는 것)의 세 갈래이다. 고령자는 그중에서 파지와 재생에 장애가 발생하기 쉽다.

또한 시계열적인 인지심리학적 모델은 기억을 감각기억, 단기기억, 장기기억으로 분류한다. 감각기억이란 외부의 자극이 그 의미를 이해하지 못한 채로 초 단위의 근소한 기간에 뇌 속에 보존되는 기억이다. 단기기억은 그보다는 길게 수십 초간 보존할 수 있는 기억이다. 기억용량은 숫자로 보면 7개 정도이다. 그리고 장기기억은 장기간의 기억을 말한다.

기억용량은 방대하고 실제적으로는 무한하다. 게다가 장기기억은 언어적 수준에서의 '진술적 기억'과 인지 · 행동 수준에서의 '절차기능'(자전거 운전 등 기능적인 것)으로 나누어진다. 진술적 기억에는 특정한 장소나 시간에 관계없이 사물의 의미를 나타내는 일반적인 지식 · 정보에 대한 '의미기억'과, 개인적인 경험 · 추억 등의 사건에 대한 기억인 '에피소드 기억'이 있다. 고령자 기억의 특징은 충분히 밝혀지진 않았지만, 단기기억은 상당 부분 연령의 영향을 받는다고 보고 있다. 또한 장기기억에서 에피소드 기억은 연령의 영향을 받지만, 의미기억이나 절차기억은 비교적 유지되는 편이라고 본다(그림 1-13).

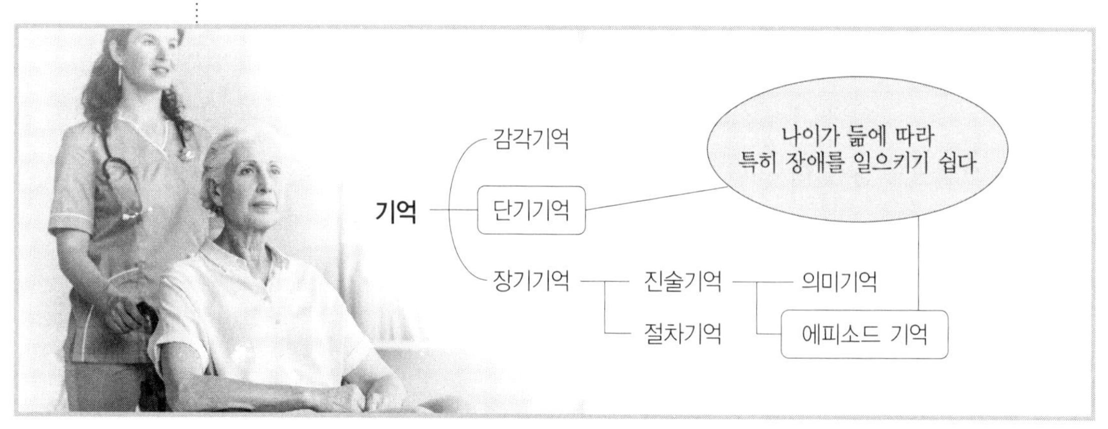

▶ 그림 1-13 기억의 분류(인지심리학적 모델)와 연령증가에 의한 기억의 변화

임상적으로는 연령이 증가하면 '이름이 잘 떠오르지 않는다'에서 시작하여 소위 '건망증'이 다발하게 되는 사실이 널리 확인되고 있다. 또한 단순한 연령증가에 의한 기억장애는 '생리적 건망'으로서 '병적 건망'인 치매와 구별된다. 이 경우 기억장애는 한정적이며 소재식은 유지되고 학습능력(기명)은 보존된다. 또한 일상생활에는 거의 지장이 없다.

15 운동기능의 변화

운동기능은 주로 신경계통과 감각계통, 운동기관(근골격계통), 순환계통의 기능이 통합되어 이루어진다. 이러한 기능은 일상생활을 영위할 때에도 매우 중요하다. 많은 운동기능은 상당히 이른 시기부터 연령증가에 의해 저하된다. 한편 저하의 정도는 운동이나 일상적인 신체활동의 영향을 강하게 받음과 동시에 적절한 트레이닝 등으로 기능회복 · 향상도 가능하다는 특징이 있다. 그만큼 개인차가 강하게 발생한다.

뼈 · 근육 · 관절 등의 운동기관은 운동기능과 밀접하게 관련되어 있고, 연령의 영향을 점차 받는다. 그중에서도 근력은 빠르게 변화하여 대체로 20대를 피크로 하여 그 후 점차 저하된다.

순발력은 10대 후반에 절정을 맞이하며, 그 후 나이가 들면서 저하된다. 근력에 비해 하강률이 높다는 특징이 있다. 지구력도 연령증가로 약간 저하되지만, 비교적 완만하며 운동능력 중에서는 저하가 상당히 적은 편이다.

직립 자세는 주로 운동기관의 연령증가에 의한 특징적인 형태를 보여주는 경우가 종종 확인되며, 운동기능 저하를 가속시키는 요인이 되기도 한다.

평형기능은 관련된 여러 기관 중에서 특히 삼반규관의 작용이 큰데, 이것도 20대를 피크로 점차 저하된다. 직립자세 유지, 밸런스 유지 등의 기능이 저하된다.

이러한 일반적인 연령증가에 따른 변화에 더해 심폐기능의 저하 등 다양한 기관의 생리적 · 병적 변화를 수용하여 운동기능이 저하되기 쉽다. 운동기능 저하가 진행되면 외적 상황에 따라 전도나 골절의 위험성도 증대된다.

여러 기관의 생리적 · 병적 변화를 받아들여 운동기능이 저하되기 쉽다.

16 사회적인 변화

대부분의 인간은 자신이 사회적으로 수행하는 역할 속에서 자신의 가치와 존재의 의미를 찾게 된다. 그러나 기대되는 역할을 제대로 수행하지 못할 경우 자아정체감의 위기를 가져오게 된다.

노인들이 할 수 있는 가장 흔한 역할은 은퇴자, 부모, 조부모, 증조부모, 배우자, 주부, 친척, 친구, 시민, 자원봉사자, 종교인, 동호회원, 서비스 수혜자 등이다. 노인에게 사회적 역할 변화를 가져오는 대표적인 사건은 은퇴, 배우자와 친족의 상실, 자녀의 결혼 등이다.

■ 은퇴

은퇴는 여러 가지 의미에서 인생의 분기점이 된다. 장년기에서 노년기로의 이행이며, 노동을 끝내고 새로운 여가생활로 이행해 가는 분기점이 된다.

이 시기에 노인들은 다음과 같은 감정을 경험하게 한다.

❖ 소득상실로 인한 경제적 빈곤감

❖ 동료, 직원들과의 대인관계 축소로 인한 유대감 상실

❖ 사회적 신분과 지위를 잃어버림으로써 경험하는 상실감

❖ 어머니로서의 역할에 많이 의존했던 여성은 자녀가 떠난 후 빈 집에 홀로 남아 있는 것 같은 정신적 고통

❖ 사회생활과 직업을 중요시 여기던 남성은 퇴직 후 새로 가사 활동에 참여하게 되면서 부인과 미묘한 대립적 갈등

■ 배우자와 친족의 상실

노인들은 젊은 사람들보다 죽음에 대해 더 많이 생각한다. 가족이나 친한 친구의 죽음과 스트레스를 받는 여러 가지 생활사건을 경험하게 된다. 배우자나 친구와 사별하는 경우 막연히 느끼던 죽음이 현실화되면서 심한 허무감, 절망감, 고독감 등을 갖게 된다.

■ 자녀의 결혼

남성 노인은 집안에서 가장의 자리를 아들에게 인계함에 따라 고독감을 느낄 수 있다. 여성 노인은 자식이 성장하여 자립하게 되자 '빈 둥지 증후군'으로 노후에 대한 초조와 불안감을 가지게 된다.

■ 지위와 역할의 변화

한 개인이 행사할 수 있는 권력, 재력 또는 사회적 영향력은 그 사람의

삶의 질을 결정하는 매우 중요한 요소이다. 그런데 노년기에는 이전에 획득했던 사회적 지위와 역할을 상실하는 경우가 대부분이다. 물론 잃기만 하는 것이 아니라 새로운 역할과 지위를 얻는 경우도 가끔 있지만, 같은 역할이나 지위라고 하더라도 수행하는 또는 행사하는 방법이나 중요성에 큰 변화가 있다는 것을 경험하고 느끼게 된다.

노년기에 사회적 지위와 역할이 변화되는 과정에서 노인들은 주류사회에서의 퇴출, 학대 또는 방임, 빈곤과 소외, 무관심과 고독, 무기력과 포기 등 사회부적응을 경험하거나 느끼게 된다.

■ 사회관계망의 변화

부양자의 위치에서 피부양자로 전환되는 과정에 정신적 · 사회적으로 어려움을 많이 겪고, 친구나 배우자의 상실 등으로 사회관계망이 줄어든다.

평균수명의 연장과 출산 자녀수의 감소로 자녀 양육기간은 상대적으로 줄어들고 노인으로 살아가야 하는 기간은 늘어난다. 조부모로서의 역할을 수행해야 할 기간이 길어진 것에 비하여 손자 · 손녀에게 적당한 역할을 하지 못한다. 친구가 중요하다는 것을 알면서도 쓸데없는 아집 때문에 잘 싸운다.

■ 연령규범과 사회화

사회적 상호작용을 통해서 사회의 규범 · 가치 · 역할기대 등을 학습하고, 사회생활에 필요한 사회적 기술을 점점 발전시켜 나가는 것을 사회화라고 할 때 성공적인 노화를 위해서는 성공적인 사회화의 과정을 반드시 거쳐야 한다.

사회가 특정 연령대에 있는 사람에게 요구하거나 기대하는 적합한 행동이나 가치를 연령규범이라고 할 때에 노년기의 연령규범에 대한 사회적 합의가 필요하다. 그런데 우리나라 사회에서는 아직 노인의 연령규범에 대한 합의가 이루어지지 못하였기 때문에 노인에 대한 긍정적인 시각과 부정적인 시각이 혼재하고 있다.

05 노년병의 특징

1 노년병이란

일반적으로 고령자라고 판단할 수 있는 질환을 노년병이라 한다.

노년병은 다음의 3가지로 분류할 수 있다.

» 청년기에 발병하여 노년기까지 이어지는 질환

» 중년기 이후에 발병하는 생활습관병

» 고령기에 많이 발병하는 질환

청년기에 발병하는 질환 중 고령자에게 특히 중요한 것이 폐결핵이다. 고령자에게 나타나는 활동성 결핵은 대부분 청년기에 걸린 폐결핵의 재발이다. 비활동성이라 하여도 심장근육경색의 발생부위가 크거나 가슴우리(흉곽)형성술을 받은 사람이 고령기에 만성호흡부전(호흡기능상실)이 발생하면 문제가 될 수 있다.

생활습관병에는 고혈압증, 허혈성심질환, 뇌혈관장애, 악성종양, 당뇨병 등이 있다. 이들은 그대로 고령기까지 유지되어 고령이 될수록 점점 더

병에 걸릴 확률이 높아진다. 생활습관병은 고령자의 중요한 사인일 뿐만 아니라 ADL(일상생활동작, activities of daily living)장애의 원인으로도 중요하다.

고령기에 많이 발병하는 질환 중에는 노인성 백내장, 노인성 난청, 노인성 치매, 파킨슨병, 폐기종, 연하성폐렴(嚥下性肺炎), 식도열공 헤르니아(esophageal hiatus hernia), 골다공증, 변형성 척추증(變形性脊椎症), 전립샘비대증 등이 있다. 이들은 특별한 경우를 제외하면 일반성인에게는 발병하지 않는다. 그러나 고령자에게는 상당히 흔한 질환이며, 진정한 노년병이라 불려야 하는 질환들이다.

이 외에 고령자에서는 질환 단위를 넘어 자주 발병하는 몇 가지 특징적인 증세가 있는데, 그것을 노년병증후군이라 한다. 예를 들어 건망, 연하(嚥下)장애, 보행장애, 전도, 요루장애, 침상생활 등이다. 노년병증후군은 고령자 재활치료의 중요한 과제 중 하나로 다룰 필요가 있다.

2 고령환자의 특징

고령환자의 병태(病態)에는 일반 성인과는 다른 몇 가지 특징이 있다.

■ 혼자서 많은 질환을 가지고 있다

고령자는 한 명이 여러 가지 질환을 동시에 가지고 있는 경우가 많은데, 이것을 다중병리학(multiple pathology)이라 한다. 이들은 심장근육경색과 폐색성 동맥경화증처럼 공통된 기반을 가진 경우도 있고, 뇌졸중과 전립샘비대증처럼 본래 관계없는 질환들인 경우도 있다.

둘 중 어느 경우에도 질환끼리 서로 간섭하기 때문에 치료나 재활치료를 더욱 어렵게 한다. 예를 들어 뇌졸중에 의해 편마비가 온 환자의 보행훈련 중에 마비되지 않은 쪽의 변형성 무릎관절증이 악화되거나 심부전(심장기능상실)증상이 드러나 훈련 중단을 할 수밖에 없는 경우가 있다. 또한 이후 설명할 내용처럼 여러 의사가 개입하거나 다중약물요법(polypharmacy)으로 인하여 의인성 합병증(醫因性合併症, iatrogenic complication)의 원인이 되기도 한다.

■ 개인차가 크다

고령이 될수록 나이 차이 이상으로 개인차가 커진다. 즉 사람에 따라 실제연령(歷年齡)과 생물학적 연령의 차이가 커진다. 따라서 질환치료나 재활치료의 방침을 세울 때는 역연령만을 근거로 일률적으로 결정해서는 안 된다. 생물학적 연령이나 사회적 활동상황 등을 종합적으로 평가하여 판단할 필요가 있다.

또한 생물학적 연령이나 사회적 활동상황의 개인차 못지 않게 중요한 인생관이나 가치관의 차이도 중요하다. 능력이 쇠약해진 고령자는 자주 어린아이와 비교되지만, 어린아이와 결정적으로 다른 점은 고령자는 인생이라는 역사에 의해 만들어진 존재라는 점이다. 그러한 개인의 역사에 기반한 인생관이나 가치관은 당연히 고령자의 진료방침에 반영되어야 한다. 그것이 생활의 질(QOL : quality of life) 향상으로 이어지게 된다.

■ 증상이 비정형적이다

일반적으로 중대한 내과질환은 특유의 증상이 있다. 예를 들면 심장근육경색이면 앞가슴통증, 폐렴이면 발열 · 해소(咳嗽) 등에 의해 발견된다.

하지만 고령자는 이러한 정형적인 증세를 보이지 않는 경우가 많다. 특히 당뇨병에 걸린 고령자 중에는 무통성 심장근육경색이 많다. 이 경우 가슴통증 대신 판별할 수 있는 비정형적인 증상은 정신증상이나 의식장애이다. 이 증상에는 평소보다 기분이 좋지 않거나 차분하지 않은 등의 가벼운 증상부터 섬망(헛소리, 망상)이나 혼수상태에 빠지는 경우까지 있다. 폐렴이라도 의식장애가 주된 증세인 경우가 많다.

■ 장기의 기능장애가 잠재되어 있다

연령증가와 함께 많은 중요 장기의 기능이 저하되지만, 본래 인간의 장기는 예비능력이 크기 때문에 일상생활에는 거의 영향을 끼치지 않는다. 80세인 사람의 폐활량은 30세 때의 약 1/2까지 저하된다고 하지만, 그것만으로는 일상생활에서 호흡곤란을 느끼지 않는다. 그러나 이 상태로 조금 부하(負荷)가 큰 운동을 하면 바로 숨이 차다. 게다가 폐렴이 되면 중증 저산소상태가 되어 쉽게 의식장애가 일어난다.

최대산소섭취량의 저하도 보통생활에서는 알기 어렵지만, 기능훈련 현장에서는 운동수행능력의 저하가 확실하게 드러난다. 따라서 일견 건강하게 보이는 고령자도 무거운 것을 들 때(負荷時) 증상이 나타남에 따라 발견되는 장기의 잠재적인 기능장애가 있다는 것을 항상 잊지 말고 훈련계획을 세워야 한다.

■ 일상생활동작(ADL)의 장애를 불러오기 쉽다

노년병은 각 질병 특유의 증세 외에도 일상생활동작의 장애를 동반하는 경우가 많다. 이것은 치매나 뇌졸중 같은 직접 장애를 초래하는 질환에만 있는 것이 아니라 폐렴이나 심부전 등의 내과적 질환일 때도 마찬가지이다.

한편 같은 질환이라도 고령자에게 발병하면 더욱 큰 장애를 남길 수도 있다. 예를 들면 뇌졸중 후에 침상생활이 되는 확률은 고령일수록 높아진다. 내과적 질환에 의한 장애는 안정이나 활동성 저하를 일으키는 폐용증후군(disuse syndrome)을 동반하는 경우가 많다. 일단 폐용증후군에 걸리면 그것이 또 활동저하를 불러일으켜 폐용이 더욱 진행되는 악순환에 빠져들게 된다. 따라서 고령자는 신체기능장애뿐만 아니라 일상생활동작이나 사회적 활동상황 등에 주의하여야 한다. 그리고 특히 폐용증후군 예방을 위해 노력하여야 한다.

폐용증후군(disuse syndrome, 廢用症候群)

심신의 미사용에 의한 기능저하로 '안정의 해'라고 해도 좋다. 거의 모든 기능에 대해서 이것이 나타나며 국소적 폐용증후군(폐용성 근위축, 폐용성 골위축, 관절구축, 욕창 등), 전신적 폐용증후군(기립성 저혈압, 폐용성 심기능저하 일심일회박출량감소 등), 정신적 폐용증후군(의욕, 감정의 둔마, 지적저하 등)으로 나뉜다.

■ 약물 유해작용이 발현되기 쉽다

고령자는 약물에 대한 반응이 일반성인과 다르기 때문에 유해작용이 발현되기 쉽다. 이것은 약물에 대한 감수성 자체의 변화 외에도 간대사저하, 콩팥의 배설지연, 지방조직에 축적, 유리(遊離)약물의 배합증가 등이 원인이다. 고령자가 특별히 주의해야 할 약물의 유해작용은 전도(転倒), 항콜린성증후군, 배뇨장애, 기립성저혈압, 파킨슨(Parkinson)증후군, 안압항진증, 소화기관출혈 등이다.

■ 의원성 합병증이 많다

고령자는 약물유해작용 외에도 의료에 의한 유해반응인 의원성 합병증을 초래할 수도 있다. 그 전형적인 예로는 입원에 의해 병을 치유했지만 누운 상태(침상생활)로 퇴원하는 경우다. 다중병리, 복합화합요법, 여러 의사의 개입 등이 의원성 합병증의 위험요인이 된다.

■ 생체방어능력의 저하로 질환이 개선되기 어렵고, 만성화가 되기 쉽다

고령자의 생체방어력 저하의 배경은 면역력 저하뿐만 아니라 연하장애(嚥下障害), 배뇨장애, 기관절개(気管切開), 각종 카테터(catheter) 삽입 등 기계적 또는 의료에 관련된 원인도 있다.

한편 질환을 치료하기 위해서는 영양상태도 중요하지만, 고령자에서는 종종 단백질에너지 저영양상태(PEM : protein-energy malnutrition)가 관찰되기도 한다. 생활습관병은 에너지 과다섭취가 문제되지만, 노년병은 저영양상태가 생명예후나 기능예후의 악화원인이 되기도 한다.

■ 질환의 예후가 의료뿐만 아니라 사회적 환경에도 크게 영향을 받는다

일반적으로 질환의 예후는 질환의 종류나 중증도, 진단이나 치료의 확실한 정도 등에 따라 규정되어야 하지만, 여기에 더해 고령자는 사회적 환경에서도 큰 영향을 받는다. 사회적 환경으로는 주거환경이나 복지용구, 경제상태, 간병인 유무, 간호서비스 이용상태 등이 포함된다. 고령환자에게는 이러한 환경을 향한 움직임을 포함한 포괄적인 재활치료가 필요하다.

■ 우울증장애를 동반하기 쉽다

고령자는 건강불안이나 상실체험 등에 의하여 우울증장애를 초래하기 쉽다. 고령자의 우울증장애는 생명예후를 악화시키는 위험요인이 되기도 한다. 재활치료의 저해요인이나 침상생활, 집에서 나오지 않는 원인이 되기도 한다.

고령자의 자살원인 중 치료되지 않은 우울증장애가 관련된 경우가 많다. 고령자의 우울증장애는 젊은층과 비교하여 컨디션부조의 원인이 뚜렷하지 않고, 불면 · 피로감 · 식욕부진 · 체중감소 등의 신체증상을 호소하는 경우가 많다. 또한 판단력이나 기억력저하를 호소하기도 하여 종종 치매와의 감별이 어렵기도 하다.

06 노화예방을 위한 활동

1 노화예방을 생각하는 방식

수명은 종마다 대체로 상한이 있다고 한다. 예를 들어 인간의 최대수명은 120세 정도이고, 개는 20년 정도이며, 쥐는 3년 정도이다. 이것을 '최대수명'이라고 한다.

최대수명을 연장시키는 것이 궁극적인 노화예방이다. 그런데 이것으로 노화예방에 성공했다고 모든 사람이 인정할 수 있는 보고(報告)는 없다. 여기에서는 최대수명을 늘리는 방법을 알아보기로 한다.

생체기능은 각종 장기의 생리적 기능을 합친 표현이다. 일상생활에서는 생체기능을 25~50% 정도 사용할 따름이다. 생체기능이 25% 이하가 되면 사망에 이를 수도 있다.

생체기능은 일반적으로 연령증가와 함께 저하된다. 하지만 그림 1-14 처럼 연령증가와 함께 저하되는 것은 '예비능력'이다.

예비능력이란 일상생활의 활동보다 강한 운동을 할 때나 심한 스트레스가 더해졌을 때 버틸 수 있는 몸 상태를 만들 수 있는 능력, 말하자면 '여유'이다. 예비능력의 저하만으로는 일상생활에 지장을 주지 않는다. 여유가 조금 없어질 뿐이다. 모든 사람이 고령이 되면 간호나 의료가 필요하게 되는 것이 아니다. 나이가 몇이든 건강한 고령자가 있다는 사실이 그것을 말해주고 있다.

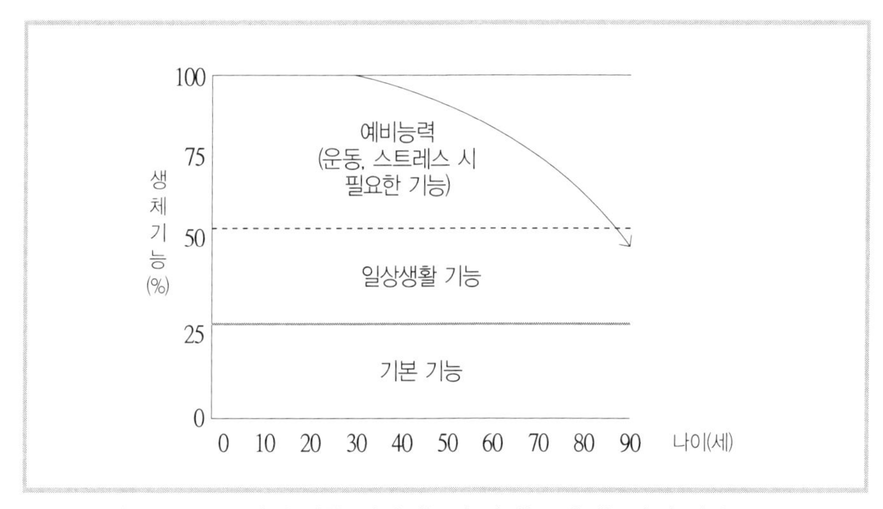

▶ 그림 1-14 노화에 의한 생체기능의 저하는 예비능력의 저하

일상생활에 지장을 미칠 정도로 생체기능이 저하되려면 노화뿐만 아니라 병의 증상이 나타나거나 진전되어야 한다. 예를 들어 손과 발의 근력은 다소 약하더라도 간신히 자력으로 걸을 수 있었던 사람이 뇌경색에 걸려 손과 발이 마비되어 걷지 못하게 되는 정도이다. 이렇게 고령자에게 일어

나는 장애의 발생은 병이 중요한 역할을 한다.

이런 의미에서 현실적으로 효과적인 노화예방은 병의 예방이다. 예를 들어 여러 가지 장기의 기능을 저하시키는 주요원인은 동맥경화이다. 동맥경화가 발생하면 장기의 기능이 저하된다. 장기의 기능이 저하되면 노화가 한층 더 촉진된다. 따라서 동맥경화증상의 발현이나 진행의 예방이 노화예방의 한 가지 방법이다.

동맥경화를 예방하기 위해서는 동맥경화를 진행시키는 이상지질혈증 · 당뇨병 · 고혈압 · 비만 등을 막고, 이들을 적절하게 치료하는 것이 중요하다. 골다공증이나 변형성관절증(変形性関節症)은 뼈나 관절연골의 노화와 밀접하게 관련된 병이다. 칼슘섭취부족은 뼈를, 비만은 관절연골의 노화를 촉진시킨다. 이런 의미로서 적정한 칼슘섭취나 비만방지가 뼈나 관절의 노화를 예방하는 좋은 방법이 된다.

표 1-2는 고령자에게 많이 발생하면서 생활장애를 불러일으키는 병, 즉 노화과정을 촉진시킬 수 있는 병과 그 예방법 및 약물을 사용하지 않는 치료법을 정리하였다. 식사 · 운동 · 휴양 등에 유의하며 일상생활을 적절히 보내면 여러 가지 질병, 나아가 노화예방에 큰 도움이 된다. 무엇을 하더라도 오래 살 수 있다는 만병통치약이 아직 없는 현재로서는 식사나 운동에 신경 쓰고, 절제된 생활을 하는 것이 노화예방의 지름길이다.

게다가 고령기에는 직장을 잃고, 반려자가 죽고, 친구가 죽고, 여러 가지 병으로 몸상태가 좋지 않아지는 등 마음을 어지럽히는 일이 많아진다. 그렇기 때문에 우울증 등 마음의 문제도 많아진다.

마음이 병들면 몸의 노화도 촉진된다. 또한 삶의 보람이나 기력을 잃으면 급속도로 몸도 마음도 노화된다. 이런 의미에서도 노화예방을 위해서는 마음의 케어, 삶의 보람 만들기가 중요하다. '늙음을 즐긴다'는 마음의 여유가 노화예방으로 이어진다.

▶ 표 1-2 고령자에게 생활장애를 일으키는 많은 질병들

	병	예방 및 비약물 치료법
1. 정신질환	치매	적정한 식사, 운동, 휴양, 오감(五感)자극
	우울증	마음의 케어
2. 신경질환	뇌혈관장애	고혈압, 당뇨병, 이상지질혈증, 비만의 예방과 치료
	파킨슨증후군	운동, 레크리에이션
	변형성경추증	목에 부하가 걸리는 운동 피하기
3. 순환계통질환	고혈압	염분섭취 조절
	심근경색, 협심증	고혈압 · 당뇨병 · 이상지질혈증 · 비만의 예방과 치료, 금연
	심부전(심장기능상실)	고혈압 · 당뇨병 · 이상지질혈증 · 비만의 예방과 치료, 염분섭취 조절
	폐쇄성동맥경화증	고혈압 · 당뇨병 · 이상지질혈증 · 비만의 예방과 치료, 금연
4. 호흡계통질환	만성폐쇄성폐질환	금연
	오연성폐렴	뇌혈관장애 발병을 예방, 구강청결
5. 내분비대사질환	당뇨병	적정한 식사, 운동, 휴양, 절주
	이상지질혈증	적정한 식사, 운동, 휴양, 절주
	비만	적정한 식사, 운동, 휴양, 절주
6. 비뇨계통질환	배뇨장애, 요실금	남성 : 전립샘비대증 치료 여성 : 요도괄약근 및 방광 훈련
7. 뼈 · 관절질환	골다공증	여성 : 칼슘 섭취, 운동
	변형성슬관절증	비만과 무릎에 과도한 부담을 주는 운동 피하기
	변형성요추질환	허리에 극심한 부하가 걸리는 운동 피하기
	골절	전도 예방
8. 치과질환	치조농루	양치를 잘할 것
	저작력 저하	의치
9. 피부질환	욕창	영양저하 방지, 체위 바꾸기

2 노화예방의 실제

■ 적정체중을 유지한다

신체기능을 정상적으로 유지하고 건강한 생활을 지속하기 위해서는 적정체중 유지가 중요하다. 과체중은 건강상의 여러 가지 위험 요인을 발생시킨다.

체지방 증가에 따른 과체중도 '비만'이라고 한다. 비만은 당뇨병 · 이상지질혈증 · 고혈압 등과 같은 동맥경화의 원인이 되는 질병을 불러일으킨다. 뿐만 아니라 관절, 특히 무릎관절을 아프게 만들어 변형성 관절증(變形性關節症)을 일으킨다.

최근에는 비만이 원인이 되어 잘 때 호흡상태가 이상해지는 수면무호흡 증후군(睡眠無呼吸症候群)도 많아지고 있다. 이것은 비만이기 때문에 자고 있을 때 충분한 호흡을 하지 못하면서 코를 크게 고는 상태로, 수면부족과 그에 동반된 컨디션 부조(의식을 거의 잃는 수면에 가까운 상태, 두통, 만성피로 등) 현상이 생긴다.

고령기가 되어 이러한 질병으로 고민하지 않기 위해서는 성인기(成人期)부터 적정한 체중을 유지하는 것이 중요하다. 적정체중은 미터(m)로 나타낸 신장의 제곱에 22를 곱하여 구한다. 이 체중을 '적정체중'이라 하는 이유는 이 체중인 사람의 질병합병률이 가장 낮기 때문이다.

그런데 적정체중을 계속 유지하고, 적정체중까지 체중을 감량하거나 늘리는 것은 쉽지 않다.

▶ 표 1-3 적정체중의 계산방법

적정체중(kg)=신장(m)^2×22

=(신장(m)×신장(m)×22)

예 : 신장 160cm인 사람의 적정체중 : 1.6×1.6×22=56kg

▶ 표 1-4 체중의 분류

BMI	판정	BMI	판정
<18.5	저체중	30<~<35	비만(2도)
18.5<~<25	보통체중	35<~<40	비만(3도)
25<~<30	비만(1도)	40<~	비만(4도)

▶ 표 1-5 비만과 관련하여 발병하고, 감량이 필요하거나 감량에 의해 개선되는 병

1	제2형당뇨병[1]	7	뇌경색, 뇌혈전, 일과성뇌허혈
2	당내성장애(내당능장애)[2]	8	수면무호흡증, 피크위크증후군[4]
3	이상지질혈증(지질대사이상)[3]	9	지방간
4	고혈압	10	정형외과질환 : 변형성슬관절증, 요통증
5	고요산혈증 · 통풍	11	월경이상
6	심장동맥질환 : 심근경색, 협심증		

1) 주로 성인에게 발병하며, 인슐린 분비가 어느 정도 유지되는 유형의 당뇨병
2) 당뇨병으로 진단될 정도는 아니지만 정상이라고도 할 수 없는 중간 정도에 위치한 경계형 당대사장애. 비만과 관련되어 나타나는 경우가 많고, 당뇨병 또는 동맥경화의 위험인자가 된다.
3) 이상지질혈증, 저HDL콜레스테롤혈증
4) 피크위크증후군 : 극도한 비만 때문에 가슴우리(흉곽)의 움직임이나 허파의 환기가 나빠져서 저산소혈증, 고탄산가스혈증을 초래하여 졸림 · 두통 · 만성피로 · 호흡곤란 · 성격변화 등을 일으키는 질병

■ 식사에 신경을 쓴다

인간은 살기 위해 필요한 에너지나 영양소를 식사를 통해 섭취한다. 하

지만 '의식동원(醫食同源)'이라는 말과 같이 매일 적정한 식생활은 생명 유지뿐만 아니라 활력있는 고령기를 보내기 위해 더없이 중요하다.

고령기가 되어도 활동적으로 생활을 즐기기 위해서는 동맥경화, 뼈 · 관절질환, 고령기에 많이 발병하는 암 등을 예방할 수 있는 식생활이 중요하다.

➔ 총섭취에너지량을 적정하게 한다

식사에서 가장 중요한 것은 적절한 총섭취에너지량이다.

적정한 총섭취에너지량은〔신장(m^2)×22〕로 적정체중을 구한 다음 거기에 체중 · 운동량 · 성별 · 연령 등을 고려하여 25부터 30 범위 내의 수치를 곱한다.

이런 계산식으로 구한 에너지량(알기 쉽게 설명하면 식사량)을 '적정에너지섭취량'이라 하는데, 그것이 정말 적절한지는 체중의 추이를 보고 판단한다. 적정체중을 유지하는 식사량이 '적정에너지섭취량'이다.

➔ 3대 영양소를 균형있게 섭취한다

탄수화물(糖質), 단백질, 지방의 3가지를 '3대영양소'라 한다. 탄수화물은 에너지원이고, 단백질은 몸의 구성요소 및 기능에 중요한 역할을 한다. 지방은 에너지원 및 몸의 구성요소로서 중요한 역할을 한다. 노화예방을 위해서는 이 3대 영양소를 균형있게 섭취하는 것이 중요하다.

단백질이나 지방은 보통 에너지원으로 사용되지 않지만, 탄수화물의 에너지 공급이 충분하지 않을 때는 에너지원이 되기도 한다.

이렇게 3대 영양소는 모든 에너지원이 될 수 있으므로 탄수화물 · 단백질 · 지방을 어떤 비율로 섭취하면 좋을지 논할 때에는 에너지량으로 환산한다.

일반적으로는

» 탄수화물에서 총섭취에너지의 60% 정도의 에너지량을

» 단백질에서 15~20%의 에너지량을

» 지방에서 20~25%의 에너지량을

섭취하는 것이 이상적이라고 한다.

영양을 섭취한다고 할 때 단백질이 풍부하게 함유된 고기나 생선 위주로 생각하기 쉽지만, 탄수화물이나 지방을 균형있게 섭취하는 것이 중요하다.

탄수화물을 공급하는 식품은 밥 · 빵 · 우동 · 메밀국수 등의 주식과 고구마 · 감자 등이다. 단백질은 고기 · 생선 · 달걀 · 대두가 주요 공급원이며, 지방은 고기류 · 버터 · 돼지기름 등에 포함된 동물성 지방과 샐러드유에 포함된 식물성 기름 및 생선류의 지방, 생선기름이 주요 공급원이다.

■ 몸 움직이기

운동습관이 있는 사람은 운동을 거의 하지 않는 사람보다 동맥경화에 잘 걸리지 않고, 장수한다는 것이 밝혀지고 있다.

운동을 하기 위해서는 에너지가 필요하다. 운동에 필요한 에너지는 우선 포도당이나 포도당이 체내에 저장된 형태인 글리코겐(간이나 근육에 있다)으로부터 공급된다.

게다가 운동을 계속할 때 에너지가 필요하면 체내 지방조직의 지방을 에너지원으로 사용한다.

이처럼 운동을 하면 포도당(글리코겐)이나 지방이 소비되기 때문에 혈당치 · 혈청지질치가 저하되고, 체내의 지방조직량이 감소한다. 체내의 지방조직량이 감소하면 체중도 감소한다.

▶ 표 1-6 걷기의 효용 {노화예방 효과}

- 이상지질혈증 · 당뇨병 · 비만을 예방 내지 개선하고, 동맥경화를 예방할 수 있다.
- 근육을 단련하여 하반신이 약하지는 것을 방지할 수 있다.
- 치매를 예방하고 장수할 수 있다.
- 뼈를 자극하여 뼈를 튼튼하게 할 수 있다.
- 심폐기능을 높여 스태미너를 높일 수 있다.
- 스트레스를 해소할 수 있다.
- 부상을 걱정할 필요가 없다.
- 돈이 들지 않는다.
- 언제 어디서나 할 수 있다.
- 혼자서도 할 수 있고, 여러 명이 같이 할 수도 있다.

▶ 표 1-7 걷기의 포인트

- 1회에 걷는 시간은 최소 15분, 가능하면 30분 걷기
- 1일 5,000보부터 시작하여 1일 10,000보 걷기를 목표로 걷기
- 적어도 일주일에 3번 총 180분 걷기. 일주일에 1~2일은 쉰다.
- 숨이 차고 약간 땀을 흘릴 정도의 속도로 걷기
- 올바른 방식으로 적절한 신발을 신고 걷기
- 적절한 수분을 공급하면서 걷기

이러한 운동의 혈당치 · 혈청지방치 또는 체중에 미치는 효과를 '운동의 대사효과'라 한다.

유산소운동 중에서도 언제 어디서나 간편하게 할 수 있다는 점에서 걷기를 추천한다. 그리스의 의성 히포크라테스도 '걷기는 인간에게 가장 좋은 약이다'라고 갈파(喝破)했다.

등을 구부리고 터덜터덜 걸으면 걷기의 효과를 얻을 수 없다. 그림 1-15와 같이 올바른 걷기 스타일로 걷는 것이 좋다. 물론 걷기뿐만 아니라 사이클링이나 수중보행 · 수영 등의 운동도 좋기 때문에 이러한 운동을 좋아하는 사람은 많이 하길 바란다.

걷기에 좋은 자세

» 턱을 당기고 몇 미터 앞을 똑바로 본다.
» 어깨에 힘을 빼고 편한 자세로 걷는다.
» 팔꿈치를 직각으로 굽혀 앞뒤로 흔든다.
» 허리를 펴고 가슴을 편다.
» 지면을 찰 때 무릎이 굽혀지지 않게 한다.
» 발꿈치부터 착지한다.
» 보폭은 평소보다 약간 크게 한다.

걷기에 좋은 신발

» 끈으로 묶는 타입
» 신발 입구가 여유로운 신발
» 발바닥이 맞는 신발
» 바닥에 어느 정도의 두께가 있는 신발
» 발꿈치가 벗겨지지 않는 신발
» 발가락에 1cm 정도의 여유가 있는 신발

▶ 그림 1-15 운동으로 하는 걷기 스타일

고령자는 증상으로 나타나지 않더라도 심장 · 뼈 · 관절에 문제가 있는 사람이 있다. 따라서 운동을 시작할 때는 의사와 상담할 필요가 있다.

■ 여가활동 및 사회활동 참여

노화를 예방하는 커다란 요소는 '삶의 보람'을 가지고 사는 것, 고독에 빠지지 않을 것, 사회나 가족에게 공헌하는 것 등이다. '삶의 보람'이 없고, 사는 것이 누구에게도 도움이 되지 않는 것처럼 느껴지면 급속도로 힘이 없어지며 늙어버린다.

'삶의 보람'을 만드는 것도 '사회공헌'도 받아들이기만 하는 자세로는 제대로 되지 않는다. 사회를 바라보면 고령자가 '삶의 보람'을 만들기 위해 참여할 수 있는 강연회, 노인대학, 문화센터, 취미모임, 봉사활동 등 여러 가지 활동이 이전보다 상당히 많아졌다. 자신의 마음을 북돋아 소극적으로 생각하지 않고, 여러 가지를 시험해보는 것을 권장한다. 그 중에서 함께 이야기를 나눌 수 있는 동료나 자신과 맞는 활동을 찾을 수 있을 것이다. 여가활동이나 봉사활동에 적극적인 사람은 장수한다는 보고도 나와 있다. 우선 행동하는 것이 중요하다.

■ 스트레스 해소하기

고령기가 되면 직장을 잃고, 반려자를 잃고, 친구를 잃고, 몸의 상태가 나빠지고, 경제적으로 어려워지는 등 외로운 일이나 스트레스가 되는 일이 계속해서 일어난다. 이러한 것들을 잘 대처하지 않으면 몸도 마음도 약해져서 눈에 띄게 노화가 진행된다. 스트레스는 만병의 근원이라고도 할 수 있다.

스트레스 해소법은 음주, 노래방, 음악, 영화, 독서, 맛집 탐방, 스포츠 등의 여러 가지가 있다. 어떤 방법이라도 지금까지의 경험 속에서 한 두개 정도는 자신만의 스트레스 해소법을 가지고 있을 테지만, 고령기가 되어 느끼는 스트레스는 젊을 때와는 다르게 상당히 무거운 것이다.

그림 1-15에 여러 가지 스트레스 해소법을 나타냈다. 고령기로 접어들기 전에, 또 고령기가 되어도 자신에게 맞는 스트레스 해소법을 익혀서 스트레스를 적극적으로 차단하여 노화예방을 실천해 보기 바란다.

▶ 그림 1-16 여러 가지 스트레스 해소법

제2장

노인 운동의 효과

01 노인 운동의 개념과 역할

1 노인 운동의 개념

■ 노인들의 신체운동에 대한 인식

운동에는 여러 가지 뜻이 있을 수 있지만, 이 단원에서 사용하는 '운동(physical exercise)'은 "체력을 향상시키거나 건강을 유지 또는 향상시키려고 수행하는 계획적이고 구조화된 신체활동"을 의미한다. 즉 운동과 '트레이닝'을 같은 뜻으로 사용한다.

그리고 '노인 운동'이란 "노인이 자신의 체력을 유지 또는 향상시키기 위해서 하는 운동"을 말한다. 즉 노년기에 하는 운동 또는 트레이닝이다.

한국인의 평균수명은 그림 2-1에서 보는 것과 같이 2011년 현재 남자 77.6세, 여자 84.4세이고, 매년 0.5세씩 늘어난다고 한다.

65세 이상 인구가 총인구에서 차지하는 비율이 7% 이상을 고령화사회, 14% 이상을 고령사회, 20% 이상을 초고령사회라고 한다. 2015년 기준 한국의 65세 이상 노인인구는 662만 4천 명으로 전체 인구의 13.1%에 이르고, 2026년에는 전체인구의 40%에 이를 것으로 추정된다.

UN추계에 의하면 2025년에 65세 이상의 노인인구가 총인구에서 차지하는 비율은 일본 27.3%, 스위스 23.4%, 덴마크 23.3%, 독일 23.2%, 스웨덴 22.4%, 미국 19.8%, 영국 19.4%로 예측되고 있다. 그러므로 2026년에는 우리나라가 세계에서 가장 노인인구의 비율이 높은 나라가 된다.

일반적으로 나이가 들면 스포츠와 같이 격렬한 신체활동에 참가하는

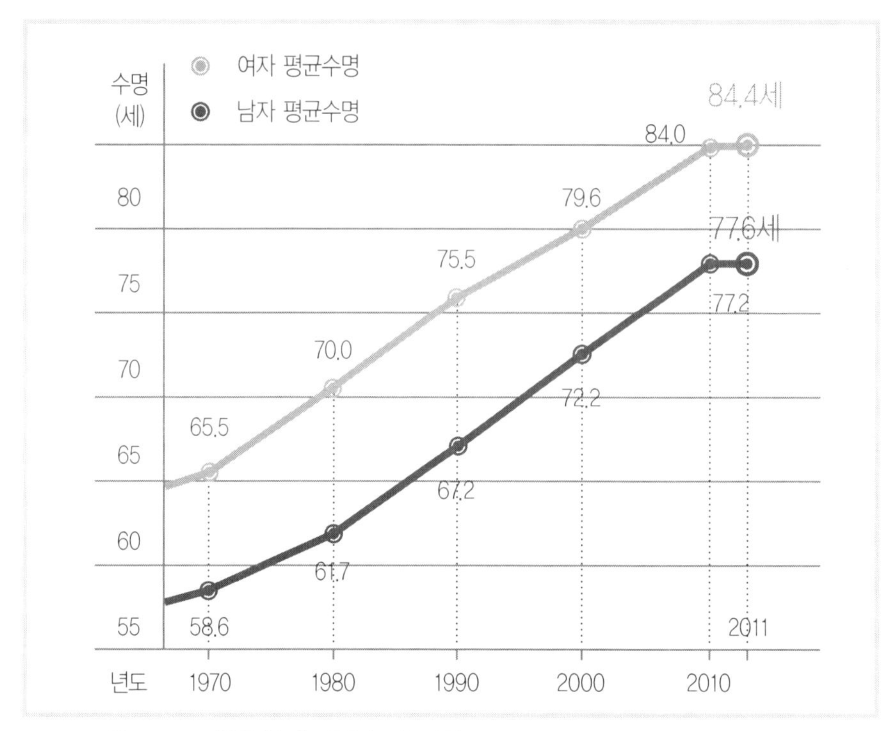

▶ 그림 2-1 한국인의 평균수명 변화 출처 : KOSIS(국가통계포털)

빈도가 점차 줄어들고, 노인들이 신체적으로 활발하지 않게 되면 신체의 작업능력이 저하되거나 여러 가지 장애의 원인이 될 것이라는 것은 쉽게 예측할 수 있다.

초고령사회로 접어드는 우리나라 노인들의 신체운동에 대한 의식조사를 한 결과는 없고, 1985년에 일본에서 조사한 결과는 표 2-1과 같다.

표 2-1에서 운동의 필요성을 느끼고 있다고 응답한 사람의 비율이 60대는 38.7%, 70대는 24.9%로 나이가 많아질수록 점점 줄어드는 경향을 보이고 있다. 표에는 없지만 건강이나 체력을 유지하거나 증진시키기 위해서 마음에 두고 있는 방안이 무엇이냐는 질문에 대하여 영양 또는 휴양이라고 답한 사람이 60% 이상인데 반하여 운동이라고 답한 사람은 30% 미만이었다.

▶ 표 2-1 운동의욕 조사

연령	운동의 필요성을 느끼고 있다	운동의 필요성을 별로 느끼지 못한다	잘 모르겠다
20대	65.7%	32.6%	1.8%
30대	63.2%	34.0%	2.9%
40대	59.7%	39.4%	0.9%
50대	49.6%	47.4%	3.0%
60대	38.7%	59.2%	2.1%
70세 이상	24.9%	70.3%	4.9%
전체	54.0%	43.6%	2.4%

▶ 표 2-2 운동을 재개할 의향

연령	운동을 다시 해보고 싶다	운동을 다시 하고 싶지 않다.	운동을 일시적으로 중단하고 있다	운동을 할 수 없다	잘 모르겠다 (무응답)
20대	85.9%	9.6%	1.3%	1.9%	1.3%
30대	84.1%	11.8%	0.7%	2.0%	1.4%
40대	74.9%	19.2%	0.4%	3.8%	1.7%
50대	57.7%	30.4%	2.1%	6.7%	3.1%
60대	42.9%	40.0%	2.9%	11.4%	2.9%
70세 이상	23.1%	43.6%	5.1%	28.2%	0.0%
전체	71.7%	20.1%	1.3%	5.0%	1.8%

일본에서 1986년에 '건강 · 체력 만들기에 대한 의식 조사'를 한 결과에 의하면, 60대 이상 노인들의 50~60%가 많든 적든 운동부족이라는 것을 느끼고 있고, 운동을 다시 할 의사가 있느냐는 질문에 대하여 답한 결과는 표 2-2와 같았다. 표를 보면 60대에서는 운동을 다시 해보고 싶다는 사람과 다시 하고 싶지 않다는 사람이 거의 비슷하지만, 70대 이상에서는 운동을 다시 하고 싶지 않다는 사람이 거의 2배나 된다.

위의 두 표를 보고 알 수 있는 것은 60세 이상의 노인들은 운동을 적극적으로 하는 사람과 전혀 하지 않는 사람으로 양분되어 있다는 것이다. 그것은 아마도 "병이 없으면 건강하다."고 보는 건강관과 "병이 없는 것뿐이 아니고 적극적으로 여러 가지 활동을 즐길 수 있는 것"을 건강하다고 보는 건강관의 차이에서 오는 것으로 생각된다.

또한 60세 이상의 노인 중에서 "운동을 할 수 없다."고 답한 사람의 비율이 다른 연령대에 비하여 월등히 높다. 즉 지금 운동을 하고 있는 노인이라도 운동을 할 수 없게 될 가능성이 아주 높으므로 복지행정 당국자와 노인체육 지도자들은 이에 관한 적절한 대책을 세워야 할 것이다.

■ 노인 운동의 평가

앞 절에서 설명한 바와 같이 60세 이상의 노인 중 약 30%가 운동을 하고 있거나, 운동을 하고 싶어 한다. 그러나 운동을 계속해서 열심히 하는 노인이라도 자신이 하고 있는 운동이 자신의 체력을 유지 또는 향상시키는 데에 생리학적으로 의미가 있는지 아닌지를 모르고 있다.

다시 말해서 체력을 유지 또는 향상시키기 위해서 노인들이 운동을 할 때 운동의 양과 운동의 질을 객관적으로 평가하는 것이 대단히 중요하다. 그런데 일상생활에서 신체운동의 양을 측정하려면 ① 개인차를 고려한 생리적 부담의 정도를 측정할 수 있어야 하고, ② 측정할 때 통증이나 고통이 없어야 하며, ③ 심리적인 영향이 거의 없으면서, ④ 편리하게 측정할 수 있어야 한다.

신체운동의 양을 측정하는 방법에는 질문지법, 면접법, 행동기록법 등 여러 가지 방법이 있지만 위와 같은 조건들을 모두 갖춘 방법으로 심박수의 변화를 연속적으로 기록하는 것이 가장 좋다고 알려져 있다.

심박수를 생리적인 부담의 정도를 나타내는 지표로 이용할 수 있는 근거는 운동이 격렬해지면 격렬해질수록 ① 심장박동도 격렬하면서 빨리빨리 뛰고, 심박수와 산소섭취량 사이에는 직접적인 관계가 있다고 가정할 수 있으며, 심박수와 산소섭취량 사이의 관계는 사람마다 다르다.

그러므로 각 개인의 심박수와 산소섭취량 사이의 관계가 직선적인 관계라는 것이 분명해지면 심박수로 그 사람의 운동량을 추정할 수 있게 된다.

인간의 신체운동 기능에 대한 자극은 어떤 수준 이상이 되어야만 자극효과가 있고, 자극의 수준이 그 이하이면 아무런 효과도 생기지 않는데, 그 수준을 '트레이닝역치'라고 한다.

여러 가지 신체기능에 대한 노인의 트레이닝역치에 대해서는 다음 절에서 자세히 다루기로 하고, 여기에서는 일상적인 운동에 의해서도 개선될 것을 기대할 수 있는 호흡 · 순환기능에 대해서만 간단히 알아보기로 한다. 일반적으로

$$(\text{최고심박수} - \text{안정시심박수}) \times 40\% + \text{안정시심박수}$$

를 노인들의 트레이닝역치를 계산하는 공식으로 사용한다.

위의 공식으로 계산하면 60대는 98박/분, 70대는 95박/분이 나오기 때문에, 보통 100~120박/분이 되는 속도로 걷는 것을 30~60분 동안 지속해야 트레이닝 효과를 기대할 수 있다.

세퍼드(Shephard, R. J. : 1978)는 처음에는 120~130박/분으로 시작해서 끝날 때에는 140~150박/분이 되도록 30분 동안 운동하는 것을 주당 3~4회 할 것을 주장하였다.

이상을 종합해보면 노인의 호흡 · 순환능력 트레이닝역치는 맥박수로는 120박/분 정도, 운동시간으로는 30분 정도이다.

2 노인 운동의 역할

■ 노인 운동과 수명

하몬드와 가핀켈(Hammond, E. C. & Gafinkel, L. : 1964)은 운동습관과 평균수명 사이의 관계를 조사하여 그림 2-2와 같이 나타냈다. 그림에서 알 수 있는 것은 다음과 같다.

» 운동습관이 평균수명에 큰 영향을 미친다.

» 운동하는 습관이 늦게 생겼더라도 평균수명에 미치는 영향에는 큰 차이가 없다. 즉 60대 이후에 운동을 시작해도 수명이 연장될 것을 기대할 수 있다. 항간에는 운동을 지나치게 하면 역으로 수명이 짧아진다는 미신을 믿는 사람도 있고, 우리나라에서 제일 장수하신 어른이 나는 운동을 전혀 하지 않았다고 말씀하셨으므로 나도 운동을 안 해도 오래 살 수 있을 것이라고 말하는 노인들도 있다.

그러나 이런 것들은 특수한 예외에 해당될 뿐이고, 운동을 많이 하는 노인이 더 오래 산다는 것은 사실이다. 운동을 하면 수명이 연장되는 이유는 운동이 심장질환을 예방하는 효과가 있기 때문이다. 다시 말하면 운동을 하면 심장에 산소와 영양물질을 공급하는 심장동맥에 콜레스테롤이 침착되는 양을 줄일 수 있다는 것이다.

■ 노인의 산소섭취량 변화

힘든 운동일수록 운동 지속시간이 짧아진다. 그러나 체중 1킬로그램당 산소 소비량이 같은 운동을 한다면 각 개인이 소비하는 산소의 양은 같은

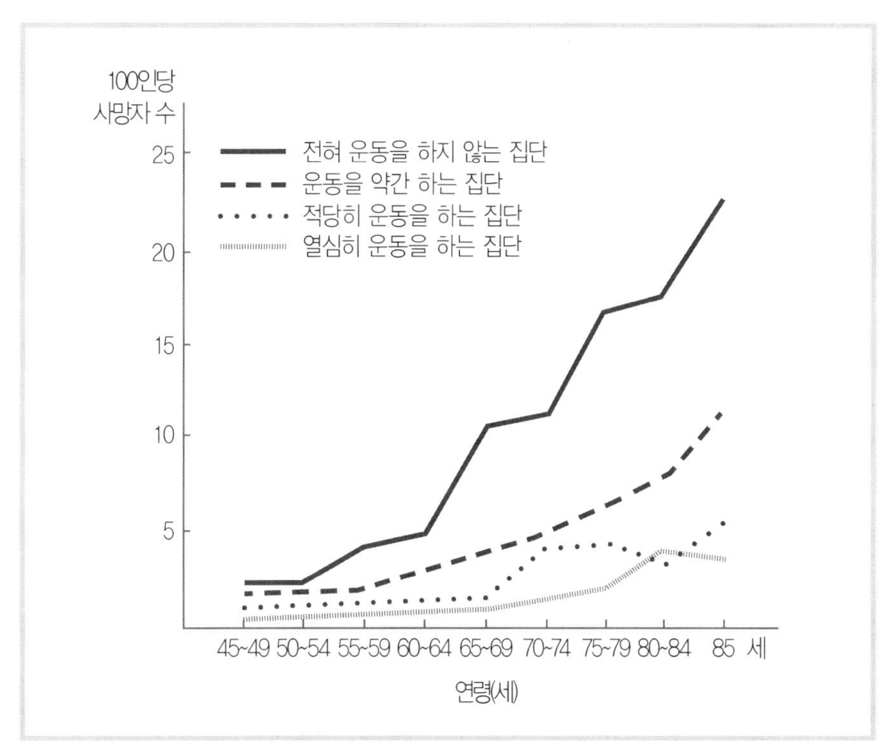

▶ **그림 2-2 운동습관과 사망률**(Hammond & Gafinkel, 1964)

셈이 된다. 같은 운동을 하면서 최대산소섭취량이 많은 사람과 적은 사람을 비교한다면 당연히 최대산소섭취량이 많은 사람이 운동을 더 오래 동안 지속할 수 있다.

한편 최대산소섭취량은 30세를 전후해서부터 서서히 줄기 시작하기 때문에 젊었을 때에는 즐겁게 하던 운동도 나이가 들면 점점 힘든 운동으로 변해가게 된다. 이와 같이 최대산소섭취량이 점점 줄어드는 노년기에 들어선 사람들은 어떻게 대응해야 좋은가?

나이가 들수록 일상생활에서 신체운동이 점점 줄어든다. 특히 정년 후에는 근무 중에 하였던 신체운동을 할 수 없게 되기 때문에 운동량이 갑자기 줄고, 거기에 따라서 최대산소섭취량도 줄어들 수밖에 없다. 즉 노인들의 최대산소섭취량이 주는 가장 큰 원인은 일상생활에서 신체활동이 줄기 때문이다.

나이가 많아지면 많아질수록 같은 일을 해도 점점 더 힘들어지고, 자유보행을 하면 보행속도가 점점 느려진다. 그러나 나이를 고려한 다중회귀분석을 한 결과를 보면 "인간의 보행속도는 단위체중 당 산소소비량에 비례한다." 즉 나이가 들어서 보행속가 느려진 것이 아니라, 나이가 들어서 최대산소섭취량이 줄었기 때문에 보행속도가 느려진 것이다.

위와 같은 현상이 보행뿐만 아니라 일상생활의 다른 활동이나 스포츠 활동에도 똑같이 적용될 것이라는 것을 쉽게 예측할 수 있다. 그러므로 노인이라고 운동을 전혀 하지 않는다든지, 나이가 들수록 점점 더 쉬운 운동만 하는 것은 좋지 않고, 조금 힘이 들더라도 적극적으로 트레이닝을 해서 신체기능의 저하를 예방하려고 노력해야 한다.

체력 트레이닝을 할 때 처음에는 저강도로 운동을 해도 체력이 증가하지만, 시간이 지나면 점점 증가폭이 줄어들다가 결국에는 체력이 더 이상 증가하지 않는다. 이런 경우 어떻게 해야 하는가?

그림 2-3은 시드니와 세퍼드(Sidney,K. H. & Shephard, R. J. : 1978)가 68세 이상의 고령자를 대상으로 트레이닝 강도와 트레이닝 빈도를 달리 했을 때 산소섭취량의 증가를 보고한 것이다. 그림에서 노인들에게 고강도-고빈도 트레이닝이 효과가 가장 좋고, 다음은 고강도-저빈도, 저강도-고빈도, 저강도-저빈도 트레이닝의 순으로 트레이닝 효과가 좋다는 것을 알 수 있다. 다시 말해서 노인들에게는 트레이닝 강도를 높이는 것이 트레이닝 빈도를 높이는 것보다 더 효과적이다.

그림에는 없지만 젊었을 때부터 운동을 지속적으로 해 온 노인들 중에서 젊었을 때의 운동량을 계속 유지해 온 노인들은 최대산소섭취량이 감소하였지만, 젊었을 때의 운동강도를 계속 유지해 온 노인들은 최대산소

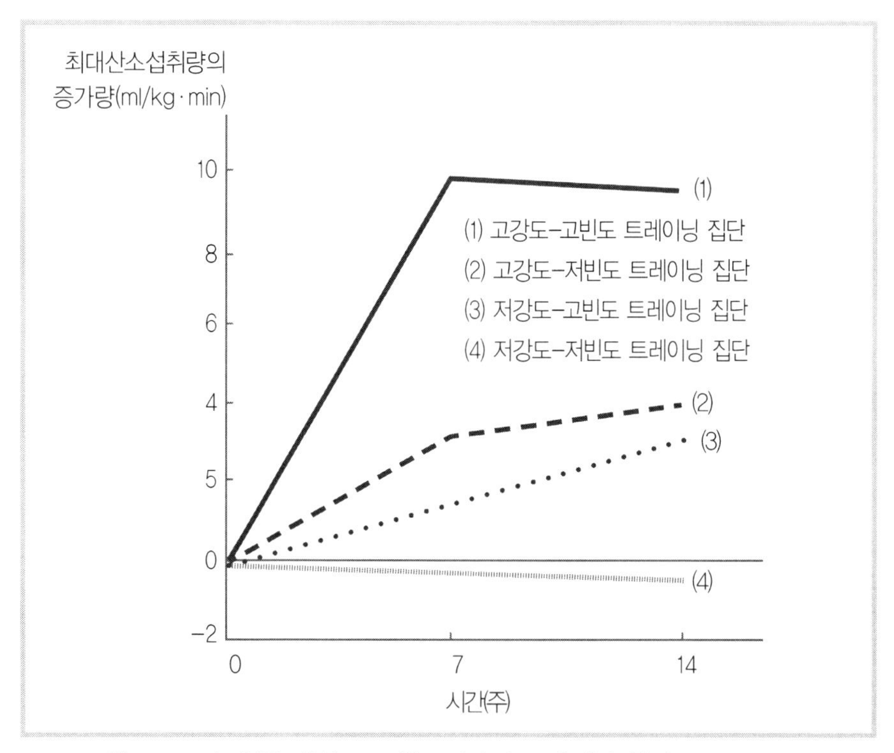

▶ **그림 2-3** 노인을 대상으로 한 4집단의 트레이닝 성적

섭취량의 감소가 거의 없었다.

이상의 결과를 볼 때 노인들이 젊었을 때의 최대산소섭취량을 유지하려고 하면 높은 강도로 트레이닝을 하는 것이 가장 중요하다.

노인이 최대산소섭취량을 유지하려고 운동강도가 높은 운동을 하면 근육 안에 젖산이 만들어지고, 젖산이 근육 안에 계속해서 쌓이면 운동을 더 이상 하지 못하게 될 수도 있다.

젖산역치(lactate threshold : LT)

근육에 쌓인 젖산을 없애기 위해서 혈액 안으로 젖산을 방출하기 시작하는 시점의 운동강도를 '(젖산역치 : LT)' 라고 한다.

운동을 오래 지속해 온 사람은 젖산역치(lactate threshold : LT)가 높다. 그것은 높은 강도의 운동을 오래 동안 지속할 수 있는 능력이 생겼다는 의미도 되고, 근육의 대사능력이 좋아졌다는 의미도 된다.

요즈음에는 손가락끝에서 피를 한 방울만 뽑아도 혈중젖산농도를 측정할 수 있기 때문에 혈중젖산농도를 근육의 (대사능력을 기준으로 하는) 지구력 척도로 이용하고 있다.

■ 노인 운동의 한계

지금까지 살펴본 바와 같이 노인도 트레이닝(운동)을 하면 최대산소섭취량을 유지하거나 오히려 향상시킬 수도 있다. 그러나 노인운동에는 한계가 있는데, 그 이유는 다음과 같다.

최고심박수는 간편 공식인

최고심박수 = 220 − 나이

로 계산한다.

이것을 보면 나이가 많아질수록 최고심박수가 줄고, 최고심박수가 줄면 최대산소섭취량도 줄 수밖에 없다. 따라서 지금으로서는 최고심박수가 주는 것을 막을 수 있는 방법이 없다.

그러나 너무 실망만 하지는 말자. 앞 절에서 노인들의 최대산소섭취량이 줄어드는 가장 큰 이유가 일상생활에서 신체운동량이 감소하기 때문이라고 하였으므로, 일상생활에서 신체활동량을 최대한으로 늘이면(근육의 대사능력을 늘이면) 최대산소섭취량의 감소를 어느 정도는 막을 수 있다.

■ 노인 운동의 역할

노인 운동의 긍정적인 역할은 다음과 같다.

❖ 건강증진

❖ 심리적 행복감과 안정……불안 및 우울 증상의 개선, 수면의 질 향상, 신체상의 개선, 만성질환에 의한 통증의 완화, 자긍심 고양 등

❖ 운동에 대한 생리적 적응……근육섬유와 모세혈관의 증가, 에너지 불균형의 개선, 체지방의 감소, 심폐기능의 향상, 심혈관계 장애의 개선, 기초대사량의 향상, 만성병이나 퇴행성질환 예방 등

❖ 비만과 혈액변인의 개선

❖ 암 예방 및 생존율 증진

❖ 기능적 능력 향상……근육뼈대계통의 강화, 일상생활 활동기능의 개선

❖ 인지적 능력의 향상……기억력과 인지능력의 저하를 예방 또는 지연시킴

❖ 의료비용 절감

노인 운동의 부정적인 역할은 다음과 같다.

❖ 근육뼈대계통 상해……근육의 약화와 골밀도 감소가 원인

❖ 심장혈관계통 상해……운동부하가 높거나 지속적으로 근력을 발휘하는 것이 원인

❖ 체온 및 수분조절 장애……장시간의 운동에 의한 탈수가 원인

❖ 저혈당 위험성의 증가……탄수화물 대사능력의 저하와 당내성(내당능)의 장애가 원인

❖ 운동중독……운동에 대한 지나친 집착이 원인

02 노인 운동의 효과

젊은 사람들은 외모 가꾸기 때문에 운동을 하지만, 나이가 들어감에 따라 건강이 보다 중요시된다. 노인 운동의 주요 목표는 일반적인 건강증진과 스스로 돌보는 능력의 향상인데, 이것은 결과적으로 노화를 방지하는 데 있다.

운동에 의한 인체의 지속적인 변화는 운동에 대한 인체의 적응에 의해 발생한다. 장기간의 운동으로 인한 효과는 체력증진, 노인성 질환의 예방 및 노화방지, 사회정서적 만족 등을 들 수 있다.

노인의 지속적인 운동에 의한 운동효과를 보면 심장허파순환기능 및 근육의 기능이 향상됨을 알 수 있고, 콜레스테롤 수치를 감소시켜 심장혈관계통 질환의 위험요인을 제거한다. 그리고 신진대사가 활발해져 체력을 증진시키고 노화방지에 효과적이다.

이 외에도 운동을 하면 우울증, 무력감, 불안감 등을 해소하여 노년기에도 활발하고 희망찬 생활을 할 수 있도록 하는 정신적 건강유지에 큰 도움을 준다.

최근 미국과 유럽에서 면역기능을 향상시켜 노화와 관련된 여러 질병의 발생률을 감소시킬 수 있다는 사실에 기초하여 노화현상을 둔화 또는 정체시켜 젊게 되돌리려고 하는 노화방지에 관한 연구가 급속도로 발전하고 있다.

오래 사는 것이 중요한 것이 아니라, 건강하게 오래 사는 것이 중요하다!

1 노인 운동의 신체적 효과

노인이 규칙적으로 신체운동을 하였을 때 얻을 수 있는 신체적 효과에는 다음과 같은 것들이 있다.

- ❖ **근육뼈대계통**……근력 향상, 뼈의 질량 증가, 근육층의 발달, 지방층의 감소, 피부의 탄력 향상, 뼈대 및 관절 강화 등
- ❖ **심장혈관계통과 호흡계통**……심장 및 혈관의 기능 향상, 유산소능력 유지, 최대산소섭취량 증가, 심박수 감소, 1회 박출량 증가, 혈액의 산소운반능력 증가, 분당환기량 증가, 안정 시 호흡수 감소, 폐활량 증가 등
- ❖ **내분비계통**……인슐린 감수성 증가, 대사증후군 유병률 감소, 당뇨병 예방 및 개선, 상처 치유속도 향상, 콜레스테롤 감소 등
- ❖ **신경계통**……반응시간 단축, 신경전달 기능 향상, 신체의 제어능력 및 협응력 향상, 청력과 시력 향상, 수면상태 호전, 기억력 향상, 치매발생 감소, 우울증 개선 등
- ❖ **활력 증가**……원기왕성, 심장을 비롯한 각종 장기의 기능 향상, 면역기능 향상, 성기능 향상 등

2 노인 운동의 심리적 효과

노인 운동의 심리적인 효과는 다음과 같다.

- » 삶의 질 향상과 웰빙에 긍정적인 효과
- » 우울증 감소
- » 인지기능의 향상

» 치매를 지연시키는 효과

» 기억장애의 발생을 줄임

» 집중력과 단기 기억력의 향상

3 노인 운동의 사회적 효과

노인 운동의 사회적 효과는 다음과 같다.

» 사회적 관계의 단절 방지, 지속적인 사회활동

» 새로운 친구 사귀기

» 사회와 문화 네트워크 확장

» 역할의 유지 및 새로운 역할의 학습

» 세대 간의 소통 강화

03 노인 체력검사

노인이라고 해서 특별히 다른 체력을 필요로 하는 것은 아니다. 다만 노인들은 체력검사를 하는 도중에 다칠 것이 염려되어 무리한 동작이 없어야 한다는 것만 주의하면 된다.

체력이란 인간이 생활활동 또는 스포츠활동을 할 때 기초가 되는 신체적인 능력을 말한다. 예를 들어 필요한 물건을 손으로 들려면 팔에 힘(근력)이 있어야 하고, 공을 멀리 던지려면 순발력이 있어야 한다. 이때 근력이나 순발력이 체력의 한 요소가 되는 것이다.

체력을 행동체력과 방위체력으로 구분하고, 행동체력은 다시 건강 관련 체력과 운동 관련 체력으로 나눈다.

방위체력은 외부로부터 인체 내부로 침입하여 들어오는 자극(병균이나 물리적인 힘 등)에 대하여 자신의 신체를 방어하거나, 적응하거나, 이겨내거나, 회복할 수 있는 능력을 말한다. 예를 들면 병균을 물리칠 수 있는 면역력이 방어체력에 해당한다.

행동체력은 인간이 동물이기 때문에 움직여서 무엇인가 활동을 할 수 있는 능력을 말한다. 건강 관련 체력은 근력, 근지구력, 심폐지구력, 유연성, 신체조성 등이고, 운동 관련 체력은 순발력, 민첩성, 평형성, 협응성, 반응시간 등이다.

노인들의 체력상태를 알아보는 방법의 하나로 '노인 체력검사'가 있다. 노인 체력검사는 표 2-3과 같이 미국에서 개발한 방법과 한국에서 개발한 방법이 있다.

▶ 표 2-3 노인의 체력검사방법

측정항목	미국형(SFT)	한국형(국민체력 100)
팔근육기능	덤벨들기	악력
다리근육기능	의자에서 일어섰다 앉기	의자에 앉았다가 일어서기
심장허파능력	6분 걷기 2분 제자리걷기	6분 걷기 2분 제자리걷기
유연성	의자에 앉아서 손뻗기 등 뒤로 두 손 모으기	앉아서 윗몸 앞으로 굽히기
민첩성	일어서서 3야드 돌아오기	의자에 앉았다가 3미터 표적 돌아오기
협응성		8자보행

■ 노인 체력검사의 측정항목

한국형 노인 체력검사 항목과 미국형 노인 체력검사 항목이 거의 비슷하다.

■ 한국형 노인 체력검사의 측정방법

- w(체중)은 0.1킬로그램까지 측정, h(신장)은 0.001미터까지 측정한다. 신체질량지수(BMI)는 w/h^2으로 계산한다.
- 악력……Smedley식 악력계를 사용한다. 악력계를 수직으로 내린 상태에서 좌우 손의 악력을 2번씩 측정한다. 좋은 점수를 이용한다. 상대악력(%)은 '악력÷체중'으로 계산한다.
- 의자에 앉았다 일어서기……등받이가 없는 둥근의자에 허리를 곧게 펴고 앉는다. 양손을 교차하여 가슴 앞에 댄다. 시작 소리와 함께 일어섰다 앉기를 반복한다. 30초 동안에 완전히 일어선 횟수를 기록한다.
- 표적 돌아와서 앉기……위의 의자에 앉기처럼 앉는다. 시작 소리와 함께 일어나 걸어가서 표적을 돈 다음 원래의 위치로 돌아와 앉는다. 걸린 시간을 0.1초까지 기록한다.
- 윗몸 앞으로 굽히기……양쪽 발바닥을 측정도구의 바닥면에 수직으로 대고 무릎을 곧게 펴고 앉는다. 시작하면 양손끝으로 밀어낼 수 있는 데까지 밀어낸다. 0.1센티미터까지 측정한다.
- 6분 걷기……너비 5미터, 길이 20미터인 트랙을 만든다. 트랙에는 1미터 간격으로 거리 표시를 해둔다. 시작 소리와 함께 출발하여 트랙을 돈다. 가능한 한 빠른 속도로 걷도록 독려한다. 뛰면 안 된다. 중간에 쉬는 것은 괜찮지만 시간은 계속 돌아간다. 중간중간에 남은

시간을 알려준다. 6분이 되면 거리를 계산해서 알려준다.

- **2분 제자리 걷기**……무릎뼈 중앙에서 엉덩뼈능선 중앙까지 중간이 되는 높이의 넙다리(대퇴)에 파랑색 테이프를 부착한다. 양쪽 기둥에 묶여 있는 고무줄의 높이가 파랑색 테이프와 일치하도록 조절한다. 시작 소리와 함께 제자리에서 걷되, 무릎이 고무줄 높이까지 올라온 횟수를 측정한다.
- **8자 보행**……길이 3.6미터, 너비 1.6미터인 사각형 운동장을 준비한다. 사각형의 긴쪽 두 모서리에 고깔콘을 세워둔다. 반대편 중앙에 의자를 놓고 피검자가 앉는다. 시작 소리와 함께 의자에서 일어나 한쪽 고깔콘을 돌아와서 다시 의자에 앉는다. 곧바로 일어서서 반대쪽 고깔콘을 돌아와서 다시 의자에 앉는다. 그때까지의 시간을 측정한다.

한국형 노인 체력검사를 실시한 후에는 어르신들의 체력을 표 2-4와 표 2-5를 보고 채점한 후 금상, 은상, 동상으로 인준하여 드려야 한다.

- **금상**……5가지 체력검사 항목(7종목)이 모두 금상 이상이신 어르신
- **은상**……5가지 체력검사 항목이(7종목) 모두 은상 이상이신 어르신
- **동상**……5가지 체력검사 항목이(7종목) 모두 동상 이상이신 어르신

▶ 표 2-4 한국형 노인 체력검사 점수표(금상/은상/동상)

성별	나이	악력	의자에 앉았다 일어서기	표적 돌아와서 앉기	윗몸 앞으로 굽히기
남	65~69	54.0/48.0/42.0	22/19/17	5.9/6.7/7.5	10.3/6.0/1.0
	70~74	52.2/46.2/40.2	21/18/15	5.9/6.8/7.7	9.9/5.0/0.5
	75~79	50.4/44.4/38.4	19/16/13	6.2/7.2/8.3	7.9/3.0/−2.0
	80~84	48.6/42.6/36.6	17/15/12	7.0/8.0/9.0	6.3/1.0/−3.9
	85~89	46.8/40.8/34.9	16/13/10	7.9/9.2/11.1	5.0/−1.0/−8.0
여	65~69	40.9/37.6/33.5	19/17/15	5.7/6.4/7.3	18.5/15.0/11.5
	70~74	40.4/35.9/30.7	17/15/13	6.3/7.1/8.0	17.2/13.5/10.0
	75~79	39.0/33.9/29.0	16/14/12	6.7/7.6/8.7	15.2/11.3/7.0
	80~84	35.6/31.4/26.6	15/12/10	7.6/8.9/10.5	13.5/10.0/5.0
	85~89	35.2/30.5/24.5	13/11/8	8.7/10.0/12.8	13.0/8.0/3.0

▶ 표 2-5 한국형 노인 체력검사 점수표(금상/은상/동상)

성별	나이	8자 보행	6분 걷기	2분 제자리걷기
남	65~69	21.9/24.7/28.3	594/548/502	115/101/86
	70~74	22.7/26.3/30.0	559/513/467	109/95/81
	75~79	25.5/29.5/34.8	524/478/432	103/89/75
	80~84	29.0/33.3/38.6	489/443/397	97/83/69
	85~89	31.8/39.4/46.8	434/388/342	92/78/63
여	65~69	23.5/26.8/29.7	543/491/438	110/100/87
	70~74	27.7/30.7/34.9	510/458/405	101/90/75
	75~79	29.9/34.1/40.1	477/425/372	97/84/68
	80~84	32.5/38.7/47.1	444/392/339	85/68/43
	85~89	35.2/42.4/51.0	391/339/286	76/51/34

제3장

노인 운동프로그램의 설계

01 운동프로그램의 요소

노인 운동이든 청소년 운동이든 모든 운동프로그램에는 몇 가지 필수적인 요소가 있어야 한다. 즉 운동프로그램에는 어떤 종류의 운동을, 어느 정도의 강도로, 몇 시간씩이나, 일주일에 몇 번씩 할 것인가가 반드시 정해져 있어야 한다. 그렇지 않으면 규칙적인 운동이 아닐 뿐더러 운동의 효과도 기대할 수 없다.

다음은 운동프로그램의 필수적인 요소인 운동의 종류, 강도, 시간, 빈도를 결정하는 방법 중에서 노인 운동에 적절한 것들을 골라서 정리한 것이다.

1 운동양식

운동양식이라고 하면 운동의 종류가 될 수도 있고, 운동하는 방법이 될 수도 있다. 운동하는 방법이란 웨이트트레이닝, 인터벌트레이닝, 플라이오메트릭트레이닝 등을 의미한다. 그런데 이것은 노인들이 할 운동방법으로는 마땅치 않기 때문에 여기에서는 운동양식이 운동의 종류를 뜻하는 것으로 간주하기로 한다.

운동의 종류라고 하면 농구, 배구, 축구, 골프 등과 같은 특정 종목을 생각하기 쉽지만, 노인들이 하는 운동은 건강을 위해서 하는 운동이기 때문에 특정한 종목에 치우쳐서는 안 된다. 왜냐하면 건강을 위한 운동이란 신체의 특정부위를 단련하는 운동이 아니라 몸의 구석구석 전체의 기를 돋울 수 있어야 하기 때문이다.

생명체는 나이가 들면 겉모습뿐만 아니라 생명력을 유지시키는 속의 부품들도 같이 낡아진다. 따라서 노인들의 내장기능은 자신이 젊었을 때의 생명력에 훨씬 미치지 못하므로 노인의 운동은 남을 따라서 하는 운동이 아니라 자기 자신의 생명력을 유지시키는 운동이어야 한다.

65세 이상의 노인들은 신체활동이 상대적으로 적기 때문에 규칙적인 신체활동을 적극적으로 실천해야 한다. 65세 이상 노인들은 대부분 하나 이상의 만성 질환을 가지고 있고, 그 질병의 종류나 불편함의 정도도 매우 다양하다. 따라서 어떤 사람은 장거리 달리기도 가능하지만 어떤 사람은 몇 걸음 걷기조차 힘들 수도 있다. 그러므로 개인별 능력에 따라서 적절한 운동을 선택하여 실시하여야 한다.

■ 유산소운동

유산소운동은 운동에 필요한 에너지를 유산소 호흡을 통해서 얻는 운동이라는 뜻으로, 보통 30분 이상 지속 가능한 운동이 이에 속한다.

유산소운동이란 운동종목에 구애받지 않고 호흡하면서 즐기는 모든 활동을 말한다. 예를 들어 걷기, 달리기, 자전거타기, 수영, 줄넘기, 에어로빅댄스, 등산, 배드민턴, 테니스, 탁구, 축구, 농구, 조깅, 스키 등이다.

유산소운동은 목표심박수에 맞춰서 해야 효과가 극대화되고, 부상의 위험도 적다. 보통 유산소운동을 할 때에는 초보자(저강도)는 50%, 중급자(중간강도)는 60%, 고급자(고강도)는 70%를 목표심박수로 잡는다(목표심박수에 대한 설명은 운동강도에서 한다).

처음부터 너무 높은 강도의 운동을 하면 심장을 포함한 몸에 무리가 온다. 따라서 처음 몇 주 동안은 일주일에 2~3회, 1회 20~30분 정도로 시작한 다음 횟수와 시간을 점차적으로 늘린다.

■ 근력강화운동

유산소운동만으로는 노년기 건강을 위한 운동으로 충분하지 않다. 주당 2일 이상 다리, 엉덩관절, 가슴, 허리, 배, 어깨, 팔 등의 근육을 강화하는 운동을 해야 한다.

근력강화운동은 일상활동을 할 때보다 근육을 더 많이 사용하는 운동이다. 역기, 탄력밴드운동, 팔굽혀펴기, 턱걸이, 윗몸일으키기, 계단오르기 등이 근력강화운동에 속한다.

근력강화운동은 중간강도 또는 고강도로 해야 하고, 권장되는 시간은 없다. 다만 힘이 들어서 더 이상 반복할 수 없을 때까지 계속해야 효과가 있다.

보통 8~12번 반복하는 것을 1단위라 한다. 예를 들어 팔굽혀펴기를 8~12회 하는 것을 1단위로 설정하고 시작했다면 1단위를 마치고 쉬었다가 힘이 있으면 한 단위를 더 하는 식으로 운동을 해야 한다.

시간이 지날수록 근력과 지구력은 점점 향상되기 때문에 중량이나 주당 운동하는 횟수를 점점 늘리면 근육도 더 강해진다.

■ 유연성운동

관절의 유연성은 나이가 들수록 감소하지만, 운동으로 회복할 수 있다. 관절가동범위는 유연성운동 후 일시적으로 향상된다. 주당 2~3회 이상 규칙적으로 스트레칭을 약 3~4주 동안 지속하면 그 효과도 지속된다. 유연성운동을 저항운동과 함께하면 자세의 안정성과 균형감각을 향상시켜 준다.

움직이는 신체의 탄력을 이용해서 스트레칭하는 것을 '역동적 스트레칭', 한 자세에서 다른 자세로 서서히 이동하면서 하는 스트레칭을 '동적 스트레칭'이라 한다. 스트레칭은 여러 번 반복할수록 운동범위가 점점 증가한다.

정적 스트레칭은 요가처럼 근육의 힘을 이용하거나, 다른 사람 또는 도구(탄력밴드, 막대 등)의 도움으로 자세를 유지하는 것으로, 자세를 고정하고 근육에 힘을 주었다 풀었다 하면 근육의 신경감각을 예민하게 만든다.

스트레칭은 주로 목, 어깨, 가슴, 몸통, 허리, 엉덩관절, 다리, 발목 등을 위주로 실시한다. 긴장과 약간의 불편함이 느껴지는 지점에서 30~60초 동안 스트레칭동작을 지속하는 것이 효과가 가장 좋다. 매일 유연성운동을 하면 관절가동범위의 향상효과가 누적되므로 주당 2~3일 이상 하는 것이 효과적이다.

저강도나 중간강도의 유산소운동, 핫팩, 뜨거운 목욕 등으로 근육의 온도를 올리면 유연성운동의 효과를 더 올릴 수 있다.

■ 균형운동

노인들이 가장 조심해야 하면서 가장 걱정해야 할 것 중의 하나가 낙상이다. 낙상의 위험이 있으면 주당 3일 이상 균형운동을 실시하면 낙상방지에 도움이 된다.

균형운동에는 뒤로 걷기, 옆으로 걷기, 발꿈치로 걷기, 발끝으로 걷기, 앉았다 일어서기 등이 있다. 균형운동은 가구처럼 고정된 물체를 지지하고 수행할 수도 있고, 지지하는 물체 없이 수행할 수도 있다.

많은 연구자들은 하루에 20~30분 이상, 주당 2~3일 이상, 주당 총 60분 이상의 균형운동을 할 것을 권장하고 있다.

2 운동강도

숨이 턱끝까지 차오를 때까지 운동을 할 것인지, 아니면 산천경계를 구경하면서 쉬엄쉬엄 운동을 할 것인지를 운동강도(intensity)라고 한다.

노인들의 운동강도를 결정할 때에는 안전성과 유효성 두 가지를 고려해야 한다. 안전성이란 운동을 하다가 부작용이 생기면 운동을 하지 않은 것보다도 못하므로 안전을 최우선으로 고려해야 한다는 뜻이다. 유효성이란 안전하게 운동하려고 운동강도를 너무 낮게 결정하면 체력이 좋아지는 효과가 거의 없다는 것이다.

그러므로 노인의 운동강도는 안전성의 한계와 유효성의 한계 사이에서 설정해야 한다. 그리고 자신이 건강을 위해서 운동을 하느냐, 아니면 어떤 특별한 체력을 기르기 위해서 운동을 하느냐에 따라서 운동강도도 다르게 정해야 한다.

운동강도를 정하는 방법에는 다음 5가지가 있다.

■ 최대산소섭취량을 이용하여 정하는 방법

사람이 운동을 한다는 것은 근육 속에 있는 탄수화물이나 지방질을 태워서 에너지를 만들어 이용한다는 뜻이다. 탄수화물이나 지방질을 태우려면 산소가 필요하기 때문에 산소를 몇 리터나 사용했는지 알아내면 운동강도를 정확하게 알 수 있다는 논리이다.

그런데 단순하게 '산소를 1리터 사용하는 운동강도'라는 식으로 정하면 곤란하다. 왜냐하면 체격이 큰 사람은 조금만 움직여도 산소를 많이 소비하기 때문이다. 또 하나 어려운 점은 운동을 많이 해서 단련된 사람과 그렇지 않은 사람이 체격이 같다고 할 때 두 사람이 똑같이 '산소 1리터를 사용하는 운동'을 했다고 하면 단련된 사람은 운동을 한 것 같지도 않을 것이고, 단련되지 않은 사람은 땀을 뻘뻘 흘려야 될 것이다.

그래서 개인마다 최대산소섭취량을 측정한 다음 '그것의 몇 %'라는 식으로 운동강도를 정한다. 그런데 개인의 최대산소섭취량을 측정하려면 호흡가스분석기가 장착되어 있는 트레드밀 위에서 피검자가 쓰러지기 직전까지(반드시 의사가 입회해야 한다) 운동을 시켜야 한다.

노인의 운동강도를 결정하기 위해 최대산소섭취량을 측정한다고 하면 동의하겠는가? 너무도 위험하기 때문에 최대산소섭취량을 이용해서 운동강도를 결정하는 방법은 노인에게 사용하지 않는다.

■ 심박수를 이용하여 정하는 방법

사람이 운동을 하면 숨이 가빠지고 심장박동도 빨라지기 때문에 1분 동안에 뛰는 심장박동의 수로 운동량을 정하는 방법이다.

사람이 운동을 하면 심박수가 빨라지는데, 1분 동안 심장이 몇 번 박동할 때까지 운동을 하겠다고 하는 것을 '목표심박수'라고 한다. 1분 동안에 심장이 박동하는 횟수는 어린아이일수록 빠르고, 나이가 들면 적어진다.

보통 220에서 자신의 나이를 뺀 숫자를 '최대심박수'라고 한다. 다시 말해서 70세인 노인은 '220−70=150 회/분'이 최대심박수가 된다. 최대심박수의 의미는 심장이 최대심박수보다 더 빨리 뛸 때까지 운동을 하면 심장마비가 올 수도 있으므로 조심해야 한다는 뜻이다.

심박수로 운동강도를 결정하는 가장 쉬운 방법은 "최대심박수의 80%까지 운동을 하겠다."라는 식으로 정하는 것이다. 앞의 예에서 70세 노인은 최대심박수가 150회/분이라고 하였으므로 '150×0.8=120회/분'이 80%의 운동강도가 된다.

그런데 이렇게 정하면 모순이 있다는 지적이 있어서 다른 방법으로 정하는 것이 보통이다. 예를 들어 70세 노인이 최대심박수의 30%를 운동강도로 정했다고 하면 '150×0.3=45회/분'이 된다. 누워서 자고 있을 때에도 심박수가 약 50회/분이 되는데, 45회/분으로 운동을 한다면 말이 되지 않는다.

깨어 있으면서 의자에 앉아서 편히 쉬고 있을 때의 심박수를 '안정시심박수'라고 한다. 안정시심박수는 사람마다 다르고, 운동을 많이 한 사람은 안정시심박수가 적다. 보통사람은 안정시심박수가 50~70회/분이고, 평균은 60회/분 정도이다.

최대심박수에서 안정시심박수를 뺀 차이를 '여유심박수'라고 한다. 즉 운동을 해서 증가시킬 수 있는 여유분이라는 뜻이다. 보통 운동강도를 정할 때에는 여유심박수의 몇 %까지 운동을 하겠다는 식으로 정한다.

예를 들어 70세 노인은 최대심박수는 150회/분이고, 안정시심박수가 60회/분이므로 여유심박수는 '150−60=90회/분'이 된다. 여유심박수의 80%를 목표심박수로 정한다면 '90×0.8=72회/분'이 증가할 때까지 운동을 하겠다는 의미가 된다. 그러므로 '안정시심박수+증가되는 심박수(60+72=132회/분)'가 목표심박수가 되는 것이다.

심박수를 이용해서 운동강도를 정할 때에는 대부분 여유심박수의 몇 %로 정한다.

■ 자각적 운동강도를 이용해서 정하는 방법

자각적 운동강도(rating of perceived exertion : RPE)란 심리학자 보그(Borg, G.)가 개발한 운동을 하는 본인이 얼마나 힘든 운동이라고 느끼는지 물어보아서 운동강도를 정하는 방법이다. 말도 안 되는 방법 같지만 어떻게 생각하면 가장 합리적인 방법일 수도 있다. 왜냐하면 1킬로그램짜리 아령을 손에 들고 팔을 굽혔다폈다 하는 운동이 누구에게는 아주 쉬운 운동일 수도 있지만, 고령의 노인에게는 아주 어려운 운동일 수도 있기 때문이다.

▶ 표 3-1 자각적 운동강도

<table>
<tr><th>RPE 지수</th><th></th><th>심박수</th><th>호흡상태</th><th>운동유형</th></tr>
<tr><td>6</td><td rowspan="3">매우 편하다</td><td rowspan="2">40~69</td><td>의식하지 못한다.</td><td rowspan="4">준비운동</td></tr>
<tr><td>7</td><td rowspan="3">아주 가볍다.</td></tr>
<tr><td>8</td><td rowspan="2">80</td></tr>
<tr><td>9</td><td rowspan="2">꽤 편하다</td></tr>
<tr><td>10</td><td rowspan="2">80~100</td><td rowspan="3">숨이 깊어지지만, 여전히 편안하게 대화를 할 수 있는 정도이다.</td><td rowspan="3">가벼운
근력운동</td></tr>
<tr><td>11</td><td rowspan="2">약간 편하다</td></tr>
<tr><td>12</td><td>100~129</td></tr>
<tr><td>13</td><td rowspan="2">약간 힘들다</td><td rowspan="2">130~139</td><td rowspan="2">대화를 이어가기엔 숨쉬기가 다소 힘들어 지는 것이 느껴진다.</td><td rowspan="2">유산소 운동</td></tr>
<tr><td>14</td></tr>
<tr><td>15</td><td rowspan="2">힘들다</td><td>140~149</td><td rowspan="2">숨쉬기가 힘들어지기 시작한다.</td><td rowspan="2">무산소 운동</td></tr>
<tr><td>16</td><td>150~159</td></tr>
<tr><td>17</td><td rowspan="2">꽤 힘들다</td><td>160~169</td><td rowspan="2">숨이 거칠어지고 불편하다. 이야기하기 어렵다.</td><td rowspan="4">최대산소
섭취가
필요한 운동</td></tr>
<tr><td>18</td><td>170~179</td></tr>
<tr><td>19</td><td rowspan="2">매우 힘들다</td><td>180~189</td><td>극도로 힘이 든다.</td></tr>
<tr><td>20</td><td>190 이상</td><td>최대치의 노력이 필요하다.</td></tr>
</table>

보그의 자각적 운동강도(RPE 지수)에 심박수, 호흡상태, 운동유형을 넣은 것임.

출처 : 서울대학교 분당병원(2013)을 수정 게재.

가장 손쉽게 할 수 있는 운동을 6, 가장 힘들게 할 수 있는 운동을 20으로 해서 몹시 가볍다(7). 매우 가볍다(9), 가볍다(11), 약간 힘들다(13), 힘들다(15), 매우 힘들다(17), 몹시 힘들다(19)와 같이 숫자를 매기는 것이다(표 3-1 참조).

운동자각도 6은 심박수 60에 해당하고, 운동자각도 20은 심박수 200에 해당하는 것을 원칙으로 만들었지만 정확하게 일치하지는 않는다. 운동자각도 12~13이 여유심박수 50%의 운동강도와 비슷하다고 한다.

■ MET수를 이용해서 정하는 방법

영어로 metabolic equivalent of task(대사당량)를 간단히 'MET수'라고 한다. 그 의미는 '사람이 앉아서 편안하게 휴식을 취하고 있을 때 체중 1kg이 1분 동안에 소모하는 열량'이다

1MET는 사람마다 차이가 있지만 평균 약 1킬로칼로리이다. 다시 말해서 체중 50킬로그램인 사람이 10분 동안 앉아서 휴식을 취하고 있었다면 약 500킬로칼로리의 열량을 소비하는 셈이 된다.

운동이나 생활활동의 운동강도를 MET수로 나타내면 편안히 쉴 때보다 몇 배의 에너지를 소모하는 운동이라는 뜻이 되므로 편리하다. 예를 들어 '청소하는 것이 3METs의 운동'이라면 "편안하게 휴식을 취하고 있을 때보다 약 3배의 에너지를 사용해야 청소를 할 수 있다."는 뜻이 된다.

청소할 때 사용하는 에너지를 킬로칼로리로 계산한다면 청소하는 데 걸리는 시간과 그 사람의 체중에 따라 달라진다. 그 사람의 체중이 50킬로그램이고, 청소하는 데에 10분이 걸렸다고 하면 '3×50×10분=1500킬로칼로리'가 되는 것이다.

운동강도를 산소소비량으로 계산하는 것이 가장 정확하다고 하였기 때

▶ 표 3-2 3METs 이상의 일상생활활동(신체활동량 기준치의 계산에 포함됨)

MET	활동내용
3	보통 걷기(평지에서 66m/분, 어린이나 강아지를 데리고 걷기, 쇼핑 등), 배에 앉아서 낚시, 실내 청소, 가재도구 정리, 목수 일, 짐 꾸리기, 기타 연주(선 자세로), 차에 물건 싣고 내리기, 계단 내려가기, 어린아이 돌보기(선 자세로)
3.3	걷기(평지에서 80m/분, 출퇴근 시 등), 카펫 청소, 마루바닥 청소
3.5	대걸레질, 청소기 사용, 상자 포장작업, 가벼운 물건 나르기, 전기관련 일(배관공사)
3.8	약간 속보(평지에서 약간 빠르게=95m/분), 마루바닥 닦기, 목욕탕 청소
4.0	속보(평지에서 95~100m/분 정도), 자전거 타기(15km/시 미만), 출퇴근, 오락, 동물돌보기(도보/달리기, 중간강도), 고령자나 장애인 간호, 드럼치기, 휠체어 밀기, 어린이와 놀기(걷기/달리기, 중간강도)
4.5	묘목 옮겨심기, 정원 풀 뽑기, 가축에게 먹이주기
5.0	어린아이와 놀기, 동물 돌보기(걷기/달리기, 활발하게), 어느 정도 속보(평지에서 빠르게=105m/분)
5.5	잔디 깎기(전동 잔디깎기기계를 사용하여 걸으면서)
6.0	가구 · 가재도구 이동 · 운반, 삽으로 눈 치우기, 계류낚시
8.0	운반(무거운 것), 농사일(건초 모으기, 창고 청소, 닭 돌보기), 활발한 활동, 계단 올라가기
9.0	물건 나르기(윗층으로 옮기기)
주 : 각각의 값은 해당 활동 중의 값이며, 휴식 등은 포함하지 않는다.	

출처 : 서영환 외(2014). 운동처방과 질환별 운동치료 프로그램. 대경북스.

문에 MET수를 산소소비량으로 환산하기도 한다. 즉 1 MET는 산소소비량 3.5밀리리터에 해당된다.

보통 3METs 이하는 저강도운동, 6METs 이하는 중간강도운동, 6METs 이상이면 고강도운동으로 분류한다.

■ 반복횟수를 이용하여 정하는 방법

중량운동을 할 때 운동강도를 들어올릴 수 있는 횟수로 정하는 방법이다.

▶ 표 3-3 3METs 이상의 운동(운동량 기준치의 계산에 포함됨)

MET	운동내용[주1)]
3	자전거에르고미터(50와트), 간단한 운동, 웨이트 트레이닝(경 · 중간강도), 볼링, 원반 던지기, 배구
3.5	체조(집에서, 경 · 중간강도), 골프(카트를 이용하되 기다리는 시간은 제외)[주2)]
3.8	약간 속보(평지에서 약간 빠르게=95m/분)
4.0	속보(평지에서 95~100m/분 정도), 수중운동, 수중에서 유연체조, 탁구, 아쿠아빅스, 수중체조
4.5	배드민턴, 골프(카트를 이용하지 않되 기다리는 시간은 제외)
4.8	발레, 모던댄스, 트위스트, 재즈댄스, 탭댄스
5.0	소프트볼, 야구, 어린이와 놀기(피구, 도구를 사용하는 놀이, 구슬치기 등), 꽤 속도를 내며 걷기(평지에서 빠르게=108m/분)
5.5	자전거에르고미터(100와트), 가벼운 운동
6.0	웨이트 트레이닝(고강도, 파워리프팅, 보디빌딩), 미용체조, 재즈댄스, 조깅과 보행의 조합(조깅은 10분 이하), 농구, 수영(여유로운 스트로크)
6.5	에어로빅
7.0	조깅, 축구, 테니스, 수영(배영), 스케이트, 스키
7.5	등산(1~2kg의 짐을 메고)
8.0	사이클링(약 20km/시), 달리기(134km/분), 수영(자유형으로 천천히=약 45m/분), 경도~중간강도의 운동
10.0	달리기(160m/분), 유도, 태권도, 럭비, 수영(평영)
11.0	수영(접영), 수영(자유형으로 빠르게=약 70m/분), 활발한 운동
15.0	달리기(계단 올라가기)

주 1 : 같은 활동에 복수의 값이 있는 경우에는 경기가 아닌 레크리에이션적 활동 시의 값으로 하는 등, 빈도가 많다고 여겨지는 값이다.
주 2 : 각각의 값은 해당 활동 중의 값이며, 휴식 중 등은 포함시키지 않는다. 예를 들어 카트를 이용하는 골프의 경우 4시간 중 2시간을 기다린다면 '3.5메트×2시간=7메트×시'가 된다.

출처 : 서영환 외(2014). 운동처방과 질환별 운동치료 프로그램. 대경북스.

예를 들면 역기가 있는데, 그것을 한 번도 들어 올리지 못한다면 그 역기로는 중량운동을 하지 못할 것이고, 만약 단 한 번만 들어올릴 수 있다면 그 역기의 무게를 1RM이라고 한다.

그보다 가벼운 역기를 계속해서 2번 들어올릴 수 있다면 그 역기의 무게는 2RM이다. 그러므로 1RM이 2RM보다 더 무겁지만 2배는 아니다. 10RM이라고 하면 10번 반복해서 들어올릴 수 있는 무게라는 뜻이지만, 1RM의 10분의 1이라는 뜻은 아니다.

노인들을 상대로 1RM을 측정하려고 하면 부상의 위험이 크므로 공식을 이용해서 간접적으로 측정하는 것이 좋다. 중량을 바꾸어가면서 여러 번 실험을 해서 10번 반복해서 들어올릴 수 있는 무게를 알아낸다.

10RM의 무게에 1.25를 곱하면 1RM과 거의 비슷하다고 한다. 예를 들어 20킬로그램짜리 역기를 10번 반복해서 들어올릴 수 있는 사람의 1RM은 20×1.25=25이므로 25킬로그램짜리 역기는 1번 들어 올릴 수 있다는 것이다.

노인들이 중량운동을 할 때에는 1RM의 65~75%의 무게로 운동을 하는 것이 좋다. 65~75%의 무게는 보통 8~12회 반복해서 들어올릴 수 있기 때문에 8~12RM이라고도 한다.

❸ 운동시간

노인 운동프로그램을 설계할 때 운동시간(duration)을 설정하는 방법을 요약하면 다음과 같다.

» 운동시간은 운동강도가 높으면 짧게, 운동강도가 낮으면 길게 설정하는 것이 원칙이다. 그러나 노인들에게 긴 시간 동안 운동을 실시하면

피로 또는 부상을 유발할 가능성이 크기 때문에 피하는 것이 좋다.

» 적절한 강도의 신체활동은 1주에 150분, 격렬한 강도의 신체활동은 1주에 75분이 적당하다.

» 유산소운동은 한 번에 적어도 10분 이상 지속해야 하고, 저항운동은 2~3세트가 적당하다.

» 낙상을 방지하기 위한 균형운동은 1주에 90분+걷기 60분을 해야 한다.

4 운동빈도

노인 운동프로그램을 설계할 때 운동빈도(frequency)를 정하는 방법은 다음과 같다.

» 운동시작 시의 체력수준을 반드시 고려해야 하고, 유산소운동은 1주에 3~5회 실시해야 한다.

» 근력운동은 1주에 3회 실시한다. 근력운동과 근력운동 사이에는 48시간의 휴식시간을 둔다.

» 낙상위험이 높은 노인은 1주에 3회 이상의 균형능력 향상운동을 실시한다.

» 유연성운동은 운동할 때마다 10분 이상하고, 동작마다 10~30초 동안 자세를 유지하고, 3~4회 반복한다.

02 지속적 운동참여를 위한 동기유발 방법

1 행동변화이론

신체활동을 하지 않는 사람들을 대상으로 신체활동에 참여하도록 유도하는 방법, 즉 행동변화를 일으키는 방법에 대하여 이론적으로 연구하는 것을 '행동변화이론'이라고 한다.

■ 행동주의 학습이론

행동주의 학습이론은 반응으로서 인간행동의 변화에 초점을 두고, 그 변화를 촉진시키는 자극이나 강화를 정밀하게 계획한 결과로 습득한 지식이 행동의 변화로 나타난다는 것이다.

행동주의의 근본적인 학습원리는 특정자극을 지속적으로 가하여 특정반응을 지속적으로 나타내도록 자극과 반응을 연합시키는 것이다. 이 연합과정이 충분한 반복을 통하여 점증적으로 강화되면 학습자는 특정행동을 나타내게 된다.

따라서 노인들이 좌식생활에서 활동적인 생활방식으로 전환하게 하려면 행동을 유발하는 자극과 반응의 연쇄를 밀접하게 연합하는 강화를 조작함으로써 학습과정을 통제해야 하고, 신체활동을 포함한 대부분의 활동은 미래의 보상에 대한 기대와 강화를 통해서 유지되거나 학습된다는 이론이다.

노인에게 미래의 보상 또는 인센티브로 작용하는 것에는 ① 신체적으로 보기 좋음, ② 타인의 칭찬이나 선물, ③ 내적인 성취감 등이 있다.

■ 건강신념모형

사람들이 건강을 추구하는 행동을 할 것인지 예측하기 위해 많은 모형과 이론이 제안되었다. 건강신념모형(health belief model : HBM)에서는 '신념'이 건강을 추구하는 행동에 중요한 역할을 한다고 가정한다.

사람들이 건강을 추구하는 행동(건강 행동)을 할 것인지 예측하기 위하여 다음과 같은 네 가지 신념을 제시한다.

» 자신이 질병이나 장애에 취약함을 지각하는 것(지각된 취약성)
» 질병이나 장애의 심각성을 지각하는 것(지각된 심각성)
» 건강을 증진하는 행동이 이득이 됨을 지각하는 것(지각된 이점)
» 건강을 증진하는 행동에 장애가 되는 것(예 : 경제적 비용)을 지각하는 것(지각된 장애물)

즉 자신이 질병이나 장애에 아주 취약하다는 믿음(신념), 질병이나 장애가 매우 심각하다는 믿음, 건강을 증진하려는 행동을 통해 실제로 이득을 얻는다는 믿음, 건강을 증진하려는 행동을 가로막는 장애물을 뛰어넘을 수 있다는 믿음 등이 클수록 건강을 보호하거나 추구하려는 행동을 더 많이 한다고 예측할 수 있다.

하지만 이러한 신념이 있다고 하더라도 다른 요인이 더 강력하면 건강행동이 증진되지 않을 수도 있다.

» 건강을 증진하려는 행동을 통해 얻을 수 있는 이득보다 그로 인한 위험이 더 크다고 생각할 때 건강행동이 적어질 수 있다.

» 자신의 건강상태를 비현실적으로 낙관할 때는 건강행동이 적어진다. 흡연자를 대상으로 한 연구에 따르면, 흡연자들은 비흡연자보다 자신에게 흡연과 관련된 위험이 나타날 가능성이 더 적을 것이라고 평가했다. 이러한 비현실적 낙관은 금연이라는 건강행동을 높이기보다 흡연이라는 비건강행동을 유지하게 한다.

» 경제적 어려움 때문에 진료비를 내기 어렵거나 보험 등의 문제로 병원에 가기 어려운 경우에는 누가 건강행동을 추구하는 사람인지를 더 잘 예측할 수 있다.

이와 같은 네 가지 건강신념이 강하면서 위에서 언급한 방해요인들이 약할 때 사람들은 건강행동을 많이 한다는 이론이다.

■ 합리적 행위이론

합리적 행위이론(theory of reasoned action)에서는 사람들이 어떤 행동을 하려고 결정하기 전에 관련된 정보를 합리적이고 체계적으로 사용하며, 행동의 결과에 대해 신중히 고려한 다음에 비로소 행동한다고 가정한다.

그림 3-1에 제시된 것처럼 행동을 직접적으로 결정하는 것은 행동을 하려는 '의도'이며, 이러한 의도에 영향을 미치는 두 가지 요인은 '행동에 대한 태도'와 '주관적 규범'이다.

'행동에 대한 태도'는 어떤 행동을 할 때 그 행동의 결과가 긍정적 또는 부정적 결과를 가져올 것이라는 개인적 '평가'와 그 행동으로 나타날 결과가 얼마나 '가능성'이 있는지에 따라 결정된다. '주관적 규범'은 그 행동에 대해 자신이 중요하게 여기는 '타인들의 태도'와 자신이 타인들의 뜻에 따

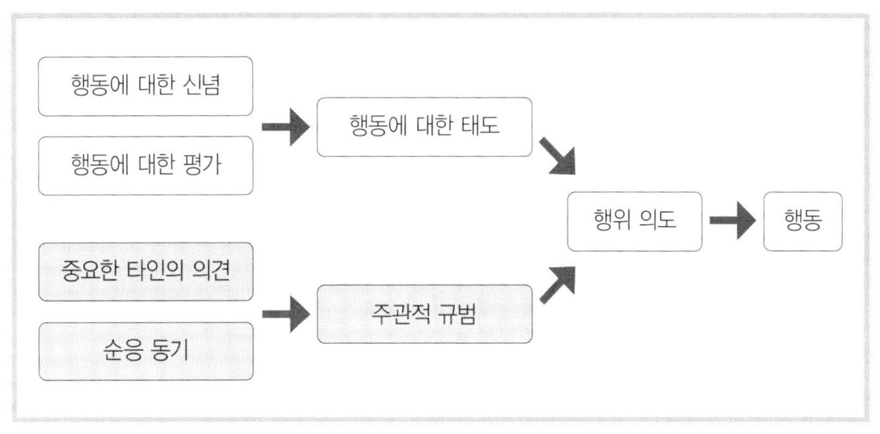

▶ 그림 3-1 합리적 행위이론

르려는 '동기'에 따라 결정된다.

이 이론은 여러 행동을 비교적 간략한 요인들로 설명할 수 있다는 장점이 있어서 많은 연구자들이 널리 사용했지만, 사람들이 어떤 행동을 하려는 의도가 있어도 실행할 능력이나 자원이 부족하면 행동으로 연결되기 어렵다는 한계점도 있다.

■ 계획된 행동이론

계획된 행동이론(theory of planned behavior)에서는 합리적 행위이론에 지각된 행동 통제력이라는 변인을 추가하여 행동의도와 행동을 예측한다.

그림 3-2에 제시된 것처럼 사람들이 행동을 하려는 의도에 영향을 미치는 심리적 변인인 '행동에 대한 태도'와 '주관적 규범' 이외에 자신의 행동을 통제할 수 있다고 지각하는 정도(지각된 행동 통제력)가 영향을 미치는데, 이 변인은 심지어 행동에도 직접적인 영향을 준다고 한다.

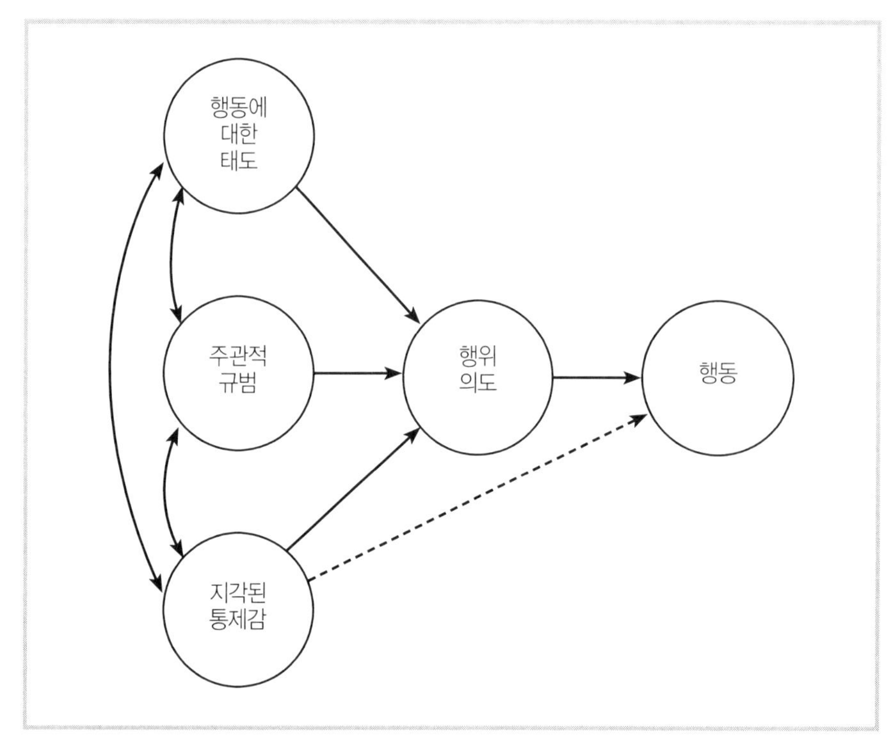

▶ **그림 3-2** 계획된 행동이론

지각된 행동 통제력은 그 사람이 바라는 행동적 결과를 달성하는 것이 얼마나 쉽거나 어려우냐에 대한 신념으로, 과거의 행동경험과 장애물을 극복할 수 있는 자기능력에 대한 지각을 반영한다. 사람들이 운전할 때 과속을 하는 이유는 자신이 과속을 해도 속도를 잘 통제할 수 있고 사고가 나는 것을 막을 수 있다고 믿기 때문에 과속 의도가 생기고, 결국 과속행동을 하게 된다고 설명한다.

■ 행동변화 단계이론

신체활동을 해서 얻는 이익을 알고 있으며, 신체활동을 실천에 옮기려면 어려움이 있다는 것을 인식하며, 신체활동을 하지 않으면 질병에 걸릴 위험성이 크다는 것도 알고 있으며, 신체활동을 행동으로 옮길 수 있다는 자기효능감이 있으면 건강행동으로의 변화가 쉽게 이루어진다는 이론이다.

행동변화 단계이론에서는 행동이 변화되는 과정이 5개의 단계로 이루어져 있는데, 각 단계를 비선형적으로 본다. 즉 원인과 결과가 직선적으로 나타나기 보다는 역동적이며 불안정한 상태를 보인다는 것이다.

같은 단계에 속한 사람들끼리는 유사한 특성을 지니고, 다른 단계에 속한 사람과는 특성에서 차이가 있다. 한 단계에서 다른 단계로 옮겨가기 위해서는 반드시 정해진 과제를 달성해야 한다는 특징이 있고, 단계는 상위로 높아질 수도 있지만 정체 또는 퇴보도 가능하다.

행동변화 단계이론에서는 행동을 변화시키는 요인을 다음의 3가지로 본다.

❖ **자기효능감**……무관심 단계일 때 가장 낮으며, 유지단계에서 가장 높다. 즉 가장 낮은 무관심 단계에서 한 단계씩 단계가 높아짐에 따라 자기효능감도 비례해서 직선적으로 높아지는 경향을 보인다.

❖ **의사결정 균형**……원하는 행동을 했을 때 기대되는 혜택과 손실을 평가하는 것이다. 단계가 높아짐에 따라 혜택 인식은 증가하는 반면, 손실 인식은 감소하는 경향을 보인다.

❖ **변화과정**……한 단계에서 다른 단계로 이동하기 위해서 사용하는 전략

- **체험적 과정** : 운동에 대한 개인의 태도 · 생각 · 느낌을 바꾸는 것 / 운동을 시작하기 위해 필요한 정보를 얻는 과정, 운동에 관한 자료를 제공하거나 운동을 시작한 사람의 예를 설명해 주는 등의 활동
- **행동적 과정** : 행동 수준에서 환경 변화를 유도하는 것 / 운동복을 눈에 잘 띄는 곳에 걸어두기, TV 리모컨 배터리 빼기 등

변화단계별 중재전략은 다음과 같다.

❖ **무관심 단계(고려 전 단계)**……앞으로 6개월 이내에 운동을 시작할 의사가 없다. 무관심 단계에 속한 사람은 운동으로 얻는 혜택보다는 손실을 더 크게 생각한다. 운동에 따른 혜택에 관한 정보 제공, 소책자, 비디오, 상담 등

❖ **관심 단계(고려 단계)**……앞으로 6개월 이내에 운동을 시작할 의도가 있다. 운동을 했을 때 자신에게 오는 이득과 손해가 비슷하다고 생각한다. 운동에서 오는 이득에 대해 좀 더 구체적으로 생각하게 한다. 하루 일과에 운동시간을 포함시킨다. 자신이 과거에 잘 했거나 즐거움을 느꼈던 운동을 생각해 보고 시도를 한다. 운동에 대해 도움을 줄 수 있는 사람 한두 명으로부터 조언을 구한다.

❖ **준비 단계**……현재 운동을 하고 있지만, 가이드라인 채우지 못하고 있다. 운동을 할 준비가 되어 있지만 제대로 못할 것이라는 생각에 자기효능감이 낮다. 구체적인 운동계획을 주위사람들에게 이야기한다. 혹시나 실패하면 어떻게 하나가 가장 큰 걱정거리이다. 자기효능감을 높여주는 전략과 운동을 시작하도록 실질적인 도움을 준다. 운동 동반자 구하기, 운동목표 설정하고 달성 방법 계획하기 등

❖ **실천 단계(행동 단계)**……이미 운동을 실천해 오고 있다. 이전의 단계로 후퇴하지 않도록 조심해야 하는 단계로, 가장 불안정한 단계이다. 자신의 행동 중에서 건강하지 못한 행동을 건강한 운동으로 대체하려고 노력한다. 건강운동을 하지 않는 사람과의 만남을 회피한다. 이 단계에 있는 사람은 건강행동을 보다 더 강력하게 실천할 수 있는 방법에 대한 학습이 필요하다. 운동실천을 방해하는 요인을 극복하는 방법을 제시한다. 목표 설정, 운동 계약, 스스로 격려하기, 연간 계획 수립하기, 주변의 지지 얻기 등

❖ 유지 단계……6개월 이상 꾸준히 운동을 해 왔다. 하위 단계로 내려갈 가능성 낮다. 스트레스 또는 어떤 원인 때문에 건강운동을 그만두는 일이 발생할 수도 있다는 것을 알고, 그것을 극복할 수 있는 방법을 모색하려고 노력한다. 운동을 못하게 되는 상황이 무엇인가를 미리 파악하여 대비하는 전략 수립하기, 일정을 조정하여 운동시간 확보하기, 자신감과 웰빙 느낌 높이기, 다른 사람에게 운동 조언자 역할 하기 등

■ 사회인지 이론(상호결정론)

인간의 행동은 개인의 ① 내적 요인(인지적 능력, 신체적 특성, 신념과 태도), ② 행동요인(운동반응, 정서적 반응, 사회적 상호작용), ③ 환경요인(물리적 환경, 사회적 환경, 가족과 친구)의 상호작용에 의해서 변화가 생긴다는 이론이다.

2 동기유발 및 목표설정

노인들이 운동을 하도록 동기를 유발시킬 수 있는 요소에는 다음과 같은 것들이 있다.

» 건강증진 및 질병위험 감소
» 스트레스 해소 등 정신적 건강
» 가족이나 친구와 함께 운동하는 등 사회참여
» 외모의 유지와 체중관리

노인들이 운동을 하도록 동기를 유발시키는 것을 방해하는 요인에는 다음과 같은 것들이 있다.

» 무엇은 절대로 안 돼 하는 식의 개인적 신념

» 운동지도자의 비현실적인 몸매 만들기 묘사

» 신체적인 기능향상에 대한 기대

» 교통의 불편 또는 시설에 접근하기 어려움

■ 목표설정의 원리

노인들에게는 새로운 신체활동을 시작하라고 권유하기보다는 신체활동의 목표를 설정하라고 권유하는 것이 더 효과적이다. 목표설정은 단기적 목표와 장기적 목표로 나누어서 설정하는데, 이때에는 다음과 같은 세부적인 원리에 따라야 한다.

❖ S……specific(구체적인)

❖ M……measurable(측정 가능한)

❖ A……attainable(이룰 수 있는)

❖ R……relevant(적절한 또는 합리적인)

❖ T……time based(시간에 근거한)

03 운동권고 지침 및 운동방안

1 노인은 성인이 아니다

노인(老人). 말 그대로 '나이가 들어서 늙은 사람'을 뜻한다. 법적으로는 보통 만 65세 이상을 기준으로 삼고 있다. 사전적으로나 법적으로나 모든 노인은 성인이다.

그러나 의학적인 개념으로 보면 조금 달라진다. '노인=성인'이라기보다는 '노인≠성인'이 더 가깝다. 그래서 노인은 성인과 다르게 보고 접근해야 한다. 즉 진단과 처방이 달라져야 한다는 것이다.

그럼 노인은 일반성인과 얼마나 다를까? 그 전에 짚고 가야 할 개념이 있다. 바로 '노화'라는 개념이다. 노화는 "시간이 경과함에 따라 유해한 변화들이 축적되어 생체기능이 저하되고 질병에 걸릴 확률이 증가하는 과정"이라고 할 수 있다. 결국 노화가 거듭된 결과가 노인인 것이다.

노화의 개념에는 '생체기능이 떨어진다는 것'과 '질병에 걸릴 확률이 증가한다는 것' 두 가지가 포함되어 있다.

생체기능 측면에서 노인의 건강상태를 알아보면 우선 운동기능이 떨어져 있다. 걸음걸이부터 달라진다. 60세까지는 보행장애가 있는 사람이 15%에 불과하지만, 노인의 경우에는 82%에 달하는 것으로 보고되고 있다. 걷는 것이 자유롭지 못하면 그만큼 낙상 위험에 노출된다.

노인건강에서 낙상은 무섭고 위협적인 존재이다. 낙상은 골절과 뇌 손상으로까지 이어질 수도 있다. 한 해에 낙상으로 사망한 노인은 83만여 명에 이르고, 낙상 골절 시 1년 내 사망할 확률이 54%(남성 노인)나 된다.

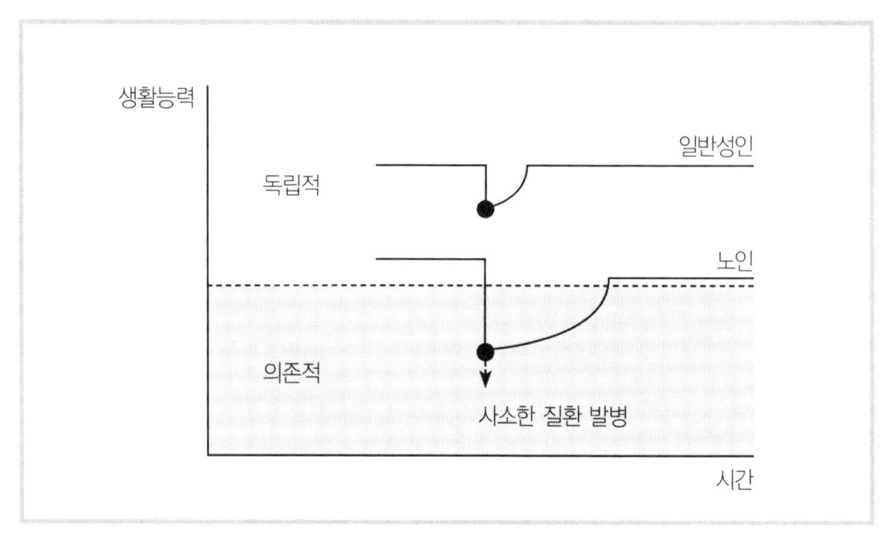

▶ 그림 3-3 노인이 질병에 걸린 후의 회복능력

즉 생체기능의 저하가 건강상 위험을 초래하게 된다는 것이다.

노인은 회복기능도 떨어진다. 우리 몸은 질병이나 사고로 생활능력이 떨어졌을 때 스스로 회복하는 능력이 있다. 그림 3-3은 노인이 질병에 걸린 후의 회복능력을 단적으로 보여주는 그래프이다. 일반성인은 감기 · 몸살 등 사소한 질환이 생겼을 때 신체기능이 약간 떨어진 후에 다시 회복하는 기간도 상대적으로 짧고, 회복한 후에는 당연히 예전 상태가 된다.

반면 노인은 일반성인과 차이가 난다. 그림에서 볼 수 있는 다섯 가지 내용은 다음과 같다.

» 우선 평소 생활능력이 일반성인보다 한참 떨어진다.
» 사소한 질환이 생겼을 때 신체기능이 일반성인에 비해 큰 폭으로 떨어진다.
» 기능이 떨어진 후에는 일반 성인과 달리 의존적이 된다.
» 회복시간도 한참 길다.
» 게다가 회복이 되더라도 예전 수준까지 회복되지 못한다.

이것을 보면 노인의 신체기능이 일반성인과는 어떻게 다른지 이해할 수 있을 것이다.

한편 노인은 신진대사기능도 떨어진다. 다시 말해서 영양분을 흡수 · 활용 · 배출시키는 능력이 떨어진다는 얘기이다. 노화는 신체부위를 가리지 않고 전 방위적으로 진행된다. 호르몬체계의 활성능력도 떨어진다. 영양분 · 호르몬은 대부분 콜라겐과 엘라스틴으로 이뤄져 있는 연결조직을 통과해야 비로소 뼈와 피부에 이르게 되는데, 이 조직에 노화가 진행돼 콜라겐이 잘 생성되지 않고 탄력성도 잃게 된다. 연결조직은 점점 딱딱한 형태로 굳어가고, 호르몬과 영양분은 뼈와 피부로 공급되는 게 어려워지기 때문에 골다공증이 잘 생기고, 피부에 주름이 생기는 것이다.

다음에는 노인이 질병에 걸릴 확률을 알아보자. 노인은 일반성인보다 병에 잘 걸릴 거라고 생각한다. 당연한 얘기이다. 나이가 들면서 수도관이 녹슬듯 혈관 안쪽벽에 찌꺼기가 들러붙어서 좁아지고 변형되어간다. 이것이 고혈압을 비롯한 각종 혈관질환이 생기는 과정이다. 혈관질환은 콩팥(신장)을 비롯한 다른 장기를 망가뜨리는 데도 영향을 미쳐서 암 등 중증질환에 걸릴 가능성도 높아진다.

실제로 노인들은 많은 질환을 앓고 있다. 나이가 많을수록 앓는 질환의 종류가 많아질 위험이 높아진다. 65~69세의 경우 3명 중 1명은 앓고 있는 질환의 수가 3가지 이상이고, 65세 이상 노인이 앓고 있는 만성질환의 수가 평균 2.6가지라고 한다. 앓는 질환이 많아짐으로써 복용하는 약의 수도 많아져서 평균 8.3개의 약을 복용한다고 한다.

노인은 여러모로 건강상태가 일반성인보다 좋지 않고, 약도 조심해서 먹어야 한다. 왜냐하면 부작용의 위험이 크고, 약물 해독능력도 일반성인의 60~70%밖에 되지 않기 때문이다. 미국 질병관리센터에서는 2012년 한 해에 미국에서 평균 10만 명 정도의 노인이 약 부작용 때문에 응급으로 입원하였는데, 그중 절반 이상이 각종 치료제 오 · 남용으로 인한 것이라는 보고서를 내놓았다.

이제 노인이 일반성인과 조금은 달라 보이는가? 이 차이를 아는 것부터가 노인건강을 챙기는 첫걸음이다.

2 노인 신체활동 권장지침

WHO에서 65세 이상의 노인 건강을 위한 신체활동 권장지침을 다음과 같이 발표하였다.

■ 적용대상과 배경

이 권장지침은 65세 이상의 모든 건강한 노인에게 적용된다. 또한 기동성과 관련이 없는 고혈압과 당뇨병과 같은 만성 비전염성질환자에게도 적용 가능하다. 임신 · 출산 · 심장마비 등의 경력이 있는 사람은 별도의 주의와 진료가 필요하다. 비활동적 성인이나 질병으로 인한 장애가 있는 사람이 비활동에서 약간의 활동으로 옮겨갈 때에 더 유익하다. 장애가 있는 성인에게도 적용 가능하다.

■ 권장지침

» 65세 이상의 노인에서 신체활동은 여가시간을 활용한 운동, 걷기나 사이클처럼 이동하면서 하는 활동(아직도 일을 하는 경우), 직장일, 집안일, 놀이, 게임, 스포츠, 계획된 운동 등이 포함된다.

» 심폐체력 및 근력 · 뼈와 기능성 건강을 개선하고, 비전염성 질환, 우울증 및 인지저하 위험을 감소시키기 위하여 다음과 같이 권장한다.

- 65세 이상의 노인은 일주일에 적어도 합계 150분 이상의 중간강도 유산소활동 또는 일주일에 적어도 75분 이상의 격렬한 유산소활동을 하거나, 아니면 같은 양의 중간강도내지 격렬한 운동을 함께 실시해야 한다.
- 유산소활동은 적어도 10분 이상 지속적으로 실시해야 한다.
- 건강 유익을 더하기 위해서 성인은 중간강도의 유산소활동을 일주일에 300분 이상, 또는 격렬한 활동을 일주일에 150분으로 늘리거나, 아니면 같은 양의 중간강도 내지 격렬한 운동을 섞어서 해야 한다.
- 기동성이 낮은 이 연령대의 노인은 균형감각을 강화시키고 낙상을 방지하는 신체활동을 일주일에 3회 이상 해야 한다.
- 근육강화활동은 주요 근육을 포함하여 일주일에 2회 이상 해야 한다.
- 이 연령그룹의 노인이 건강상태로 인해 권장량만큼의 신체활동을 할 수 없는 경우에는 자기 컨디션에 맞게 신체활동을 해야 한다.

» 신체적으로 활동적인 65세 이상의 노인은 비활동적인 사람에 비해 심폐체력 수준이 더 높고, 여러 가지 장애를 가져오는 위험요인이 더 낮으며, 다양한 만성 비전염성질환의 발생률도 더 낮다.

» 전반적으로 이 연령대의 모든 연령군에서 위의 권장지침을 수행할 때의 이익이 위험보다 많다. 권장된 150분의 중간강도 활동에서 근골격계통 상해는 드물다. 근골격계통 상해의 위험을 줄이려면 중간강도의 운동으로 시작해서 점진적으로 운동수준을 올리도록 한다.

» 운동능력과 체력이 낮은 사람은 건강과 체력개선을 위한 필요량이 더 적으므로 개인의 능력에 맞게 신체활동 계획을 세우도록 한다. 18~65세 성인에서와 마찬가지로 총 150분의 신체활동량을 달성하는 방법은 여러 가지가 있지만, 일주일 동안 나누어 할수록 좋다(예 : 하루 총 30분씩 5일간).

3 노인 운동프로그램의 개요 및 구성

노인 운동프로그램을 계획할 때 유의할 사항은 다음과 같다.

» 일상생활에 필요한 기능활동을 우선적으로 고려해야 한다. 왜냐하면 아무리 좋은 운동이라도 당장 생활에 필요하지 않은 운동은 노인들에게 별로 도움이 되지 않기 때문이다.

» 노인들은 나이가 비슷하더라도 체력에는 큰 차이가 있으므로 개인의 능력에 알맞은 강도와 난이도로 운동프로그램을 계획해야 한다. 너무 어렵거나 강도가 높게 운동프로그램을 계획하면 운동으로 얻는 것보다는 잃는 것이 더 많을 수 있으므로 주의해야 한다. 노인들은 체력을 향상시킨다기보다는 유지하려고 운동을 한다고 보아야 한다. 가끔 칠팔십대 노인이 보디빌딩선수 같은 몸매를 자랑하는 것을 볼 수 있는데, 그것이 정말로 건강에 좋은지는 확실치 않다.

» 노인은 절대로 무리하면서 운동을 해서는 안 된다. 운동을 하다보면 기분이 좋아지고 평소에 할 수 없었던 동작도 충분히 해낼 수 있을 것 같은 마음이 드는 경우가 있다. 이때 무리해서 동작을 수행하다가 다치면 회복이 더디고, 주위 사람들로부터 인정을 받기 어렵다. 두 번 세 번 생각하여본 후에 실행에 나서야 한다.

» 어린 아이들은 A라는 운동을 하면 A의 효과만 있는 것이 아니라 부수적인 운동효과도 많이 얻을 수 있다. 그러나 노인은 한 가지 운동을 했을 때 여러 가지 부수적인 운동효과를 기대하기 어렵다. 왜냐하면 모든 신체기능들이 쇠퇴되어가는 과정에 있기 때문이다.

노인의 신체활동을 위한 운동프로그램은 유산소운동, 저항운동, 평형성운동, 스트레칭 등으로 구성하는 것이 보통이다. 그런데 운동강도, 운동시간, 운동빈도에 대해서는 일률적으로 권장하기 어렵다. 왜냐하면 개인에 따라서 신체능력의 차이가 너무 크기 때문이다.

대부분의 노인 운동프로그램에서는 노인을 허약한 노인, 의존적인 노인, 독립적인 노인, 건강한 노인 등 4그룹으로 분류하고, 그룹에 따라서 운동량이 다르게 권장하고 있다.

다음은 노인이 운동할 때 일반적으로 주의해야 할 점을 정리한 것이다.

» 운동을 시작하기 전에 걷기나 유연성운동과 같은 준비운동을 최소한 5분 동안 해야 한다. 준비운동은 혈류와 심박수를 증가시켜 관절과 근육이 운동을 할 준비를 할 수 있게 해준다.
» 운동이 끝난 후에 정리운동도 5분 이상 실시해야 한다. 정리운동은 혈압과 심박수를 정상으로 돌려놓고 정신을 이완시키는 효과가 있다.
» 더울 때는 탈수, 탈진, 일사병 등을 유발할 수 있으므로 운동을 피한다.
» 추울 때는 고혈압, 협심증, 뇌졸중 등을 유발시킬 수 있으므로 주의해야 한다.
» 추울 때는 낙상으로 인한 상해를 유발할 수 있으므로 주의한다.
» 피곤하거나 신체상태가 나쁠 때는 운동을 하지 않는다.
» 운동 중에 힘들면 중단하고 휴식을 취한다.
» 노인들은 탈수되기 쉬우므로 운동 전 · 후에 음료수(물)를 섭취하게

한다.

» 운동 전 · 후에 커피, 콜라, 홍차 등을 마시지 않게 한다.

» 운동 전 2시간 또는 운동 후 1시간 이내에는 식사를 피한다.

» 운동 후에 흡연은 특히 금해야 한다.

노인이 되면 운동하기 어려운 상황이 많이 발생한다. 그러나 운동이 건강에 이롭다는 것을 알고 있기 때문에 운동을 오래 동안 지속할 수 있는 방법에 대한 연구도 많이 했다. 그중의 하나가 운동의 장점 리스트를 작성하는 방법이다.

운동의 장점 리스트는 운동을 했더니 좋아진 점을 적는 것이다. 예를 들어 운동을 하면 스트레스와 우울증을 줄여준다든지, 잠을 깊게 잘 수 있다든지, 신체에 활력이 돈다든지, 사람을 만날 수 있어서 좋다든지 등과 같은 운동의 장점 리스트를 만들어서 잘 보이는 곳에 붙여두는 것이다.

그러면 운동을 오랫동안 할 수 있는 계기를 만들어주는 것은 물론, 운동을 하면서 스스로 만족감을 찾을 수도 있다.

■ 노인을 위한 유산소운동

유산소운동은 신체의 큰 근육들이 규칙적으로 움직이는 운동으로 빠르게 걷기, 조깅, 자전거타기 등이 대표적인 유산소운동이다. 한 연구 결과에 따르면 일주일에 150분 정도의 유산소운동을 하면 60대는 3년 반 이상 수명연장의 효과가 있다고 한다.

또한 규칙적으로 유산소운동을 하는 사람은 비활동적인 사람에 비해 당뇨병의 발병위험이 매우 낮고, 이미 당뇨병을 앓고 있어도 신체활동이 활발하기 때문에 혈당조절에 큰 도움된다고 한다.

▶ 표 3-4 노인에게 권장되는 유산소운동

권장기관	운동유형	운동강도	운동시간	운동빈도
ACSM	골격계통에 낮은 스트레스를 주는 운동	중간강도 고강도	최소 30~60분, 10분씩 나누어서 해도 됨	고강도 주 3일 중간강도 주 5일
PAGAC	중간강도의 걷기		각 세션 30분	주 2~3회
WHO	걷기, 수영, 조깅, 자전거타기	중간강도 30분 고강도 20분	30분까지 점진적으로 증가	중간강도 주 5회 고강도 주 3회
NIA	걷기, 수영, 조깅	운동자각도 13	30분까지 점진적으로 증가	주 5~7회

ACSM=미국스포츠의학회, PAGAC=신체활동가이드라인자문위원회
WHO=세계보건기구, NIA=미국국립노화연구소

■ 노인을 위한 저항운동(근력강화운동)

근력강화운동은 평소 일상생활에서 사용하는 것보다 더 많은 근육을 사용하는 운동을 말하는 것으로 주요한 근육은 다리, 가슴, 허리, 배, 어깨, 팔 등의 근육이다. 역기를 들거나, 팔 굽혀펴기, 턱걸이, 윗몸 일으키기 등이 근력강화운동에 속한다.

▶ 표 3-5 노인에게 권장되는 근력강화운동

권장기관	운동유형	운동강도	운동시간	운동빈도
ACSM	주 근육을 사용하는 운동 (예: 계단오르기)	중간강도 RPE 5~6 고강도 RPE 7~8	8~10개 운동을 각 10~15회 반복	최소 주 2회
PAGAC	근력강화운동		각 30분/세션	주 3회
WHO	웨이트운동	근력강화훈련 주2회	한 운동당 2세트, 8~12회 반복	중간강도 주 5회 고강도 주 3회
NIA	근육군을 대상으로 저항성밴드, 웨이트기구를 사용한 운동	운동자각도 15~17	한 운동당 2세트, 8~15회 반복	최소 주 2회 연속적으로 하는 것은 금지

근력강화운동은 최대근력의 40~50% 강도로 10~20회 반복하면서 서서히 강도를 높여 나가는 것이 안전하다. 일주일에 2~3회 정도 근력강화운동을 하면 근육이 단련돼 낙상과 골절을 예방하는 데 큰 도움이 된다. 1세트당 8~10가지 운동을 8~12회 반복하고, 약간 힘들 정도로 주당 2회 정도 20~30분 한다.

■ 노인을 위한 유연성운동

▶ 표 3-6 노인에게 권장되는 유산소운동

권장기관	운동유형	운동강도	운동시간	운동빈도
ACSM	주 근육군의 지속적인 정적 스트레칭	중간강도 RPE 5~6		최소 주 2회
NIA	무릎근육, 종아리근육, 발목, 위팔세갈래근, 손목	최소 저강도~불편함을 느낄 정도	10~30초간	최소 3회 근력 및 지구력 운동 후
WHO		중간강도 주 5회 고강도 주 3회	10~30초간	최소 3회 근력 및 지구력 운동 후

■ 노인을 위한 평형성운동

▶ 표 3-7 노인에게 권장되는 평형성운동

권장기관	운동유형	운동강도	운동시간	운동빈도
PAGAC	근력강화 프로그램의 일부로 실시			주 3회
NIA	엉덩관절굽히기, 무릎관절펴기, 발목굽히기	탁자 또는 의자를 잡고 시작		
WHO	낙상 위험이 있는 노인			

4 건강한 노인을 위한 여가활동

■ 노인들에게 있어서 여가의 개념

노인들에게 있어서 여가의 개념은 '재생산을 위한 수단' 또는 '심신의 피로회복'을 목적으로 하는 젊은이들의 여가와는 근본적으로 다르다. 시간적 측면에서 본다면 식사, 배변, 수면 등 생리적 시간과 노동시간을 제외한 나머지 시간이 여가시간에 해당한다.

그런 의미에서 '노인의 삶은 여가시간의 연속'이라고 해도 과언이 아니므로, 노인에게 있어서 여가시간은 여가로 인해서 생기는 문제를 어떻게 하면 줄일 수 있느냐와 여가를 즐겁고 보람차게 보냄으로써 인생을 의미있게 마무리 지을 수 있느냐의 문제로 귀추 된다고 할 수 있다.

노년기의 여가시간 활용 여부는 노년기 자체의 의미를 새롭게 할 수 있는 중요한 요소이기 때문에 단순히 개인적으로 시간을 보내는 것이 아니라 노인의 사회적 행태이고, 노인의 사회적 역할인 것이다.

카플란(Kaplan, M. : 1960)은 여가활동과 관련된 노인의 욕구를 다음과 같이 파악하였다.

» 사회적으로 공헌할 수 있는 봉사활동

» 여가를 친구들과 같이 보내고자 하는 욕망

» 자신의 존재를 타인으로부터 인정받고 싶어 하는 욕망

» 특정한 업적이나 성과를 올려보려고 하는 욕망

» 오래도록 건강을 유지하려는 욕망

» 심리적인 자극을 받아보려는 욕망

» 가족관계를 원만히 유지하려는 욕망

» 종교적 신앙을 포함한 정신적 만족을 얻어 보려는 욕망

■ 노년기 여가활동의 의의

노년기에는 의무적인 직업활동에서 벗어나 대부분의 시간을 여가활동으로 보내기 때문에 여가활동의 의의가 대단히 크다.

다음은 노인에게 있어서 여가활동의 의의를 간추린 것이다.

» 노년기의 여가활동은 자아실현을 위한 마지막 기회가 될 수 있다. 여기활동으로 창작활동이나 취미활동을 적극적으로 함으로써 인생의 기쁨과 보람을 얻고, 남에게도 도움이 되는 삶을 누릴 수 있다.

» 노년기의 여가활동을 통하여 삶을 윤택하게 하고, 일상생활을 계획적으로 영위함으로써 고독과 소외감을 떨쳐내는 등 정신적 · 사회적 건강을 도모할 수 있다.

» 적극적인 여가활동을 통하여 개인이 즐기는 것 외에 친구와 집단을 만날 수 있는 기회가 생기기 때문에 친구 또는 집단과의 관계를 유지 · 발전시켜 나갈 수 있다.

» 노년기의 여가활동은 가족과 이웃과의 친밀한 관계를 형성할 수 있고, 다양한 봉사활동 등을 통하여 사회참여의 계기를 마련할 수 있다.

■ 노년기 여가활동의 유형

보건사회연구원에서 65세 이상 우리나라 노인들의 실태조사를 한 결과에 의하면 자신의 노후를 보내고 싶은 방법이 그림 3-4와 같았다.

건강을 유지하면서 보내고 싶다가 52.3%로 가장 많았고, 다음이 건강

이 허락하는 한 소득을 창출하기 위해서 일을 하면서 보내고 싶다가 19.6%, 그냥 편히 쉬면서 보내고 싶다가 14.6%이였다. 그다음이 종교활동, 취미활동, 자원봉사, 자아개발의 순이었다.

같은 조사에서 '노년기의 여가활동에 영향을 주는 요인'을 개인적 차원의 요인과 사회적 차원의 요인으로 나누어서 물었더니 다음과 같이 응답하였다.

- ❖ 개인적 차원의 요인……성별, 연령, 교육수준, 배우자 유무, 건강상태, 경제력 등
- ❖ 사회적 차원의 요인……종교활동, 거주지역, 주택소유 여부, 주택의 유형, 은퇴여부, 자녀의 독립, 사회화 정도, 생활환경 등

노년기에 건강을 유지하면서 싶다고 응답한 사람이 가장 많았다는 것은 노인들은 여가시간에 건강을 위해서 운동을 하거나 영양섭취를 하려고 한다는 의미이므로 그에 알맞은 운동프로그램을 개발하고, 신선하고 영양가 높은 먹거리를 개발해야 한다.

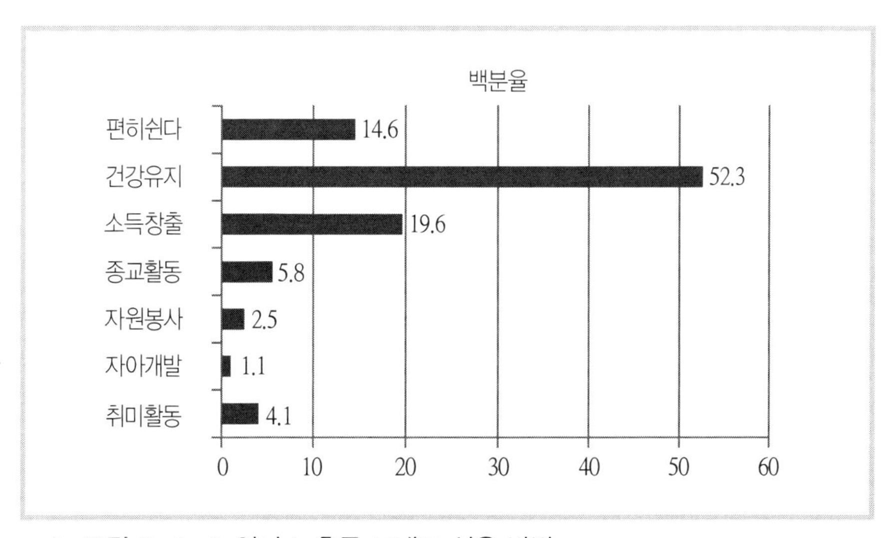

▶ **그림 3-4** 노인이 노후를 보내고 싶은 방법

5 노인들이 선호하는 스포츠를 할 때의 주의사항

■ 스트레칭

스트레칭을 하는 목적은 자신이 필요로 하는 부위의 근육을 펴서 늘리는 것이므로 개인의 체력수준, 유연성, 훈련정도 등에 따라 운동강도가 달라야 한다. 근육이나 힘줄을 팽팽히 잡아 늘리자면 위험성이 따르므로 운동방법을 바르게 알고 실천하는 것이 중요하다.

다음은 스트레칭의 실시방법과 주의사항을 요약한 것이다.

» 스트레칭을 시작하기 전에 반드시 준비운동을 먼저 해야 한다.
» 자신이 하고 싶은 동작을 가능한 한 정확하게 해야 한다.
» 무리하거나 반동을 주면 안 된다.
» 호흡은 부드럽고 자연스럽게 계속해야 한다.
» 절대로 경쟁적으로 스트레칭을 해서는 안 된다.
» 스트레칭을 하면 자연적으로 유연성이 향상되므로 억지로 노력할 필요는 없다.
» 규칙적으로 매일 실시해서 스트레칭을 생활화하는 것이 중요하다.

■ 걷기

사람은 태어나서 약 1년이 지나면 걷기 시작하여 평생 동안 걷는다. 가장 자연스럽게 많이 하고 있는 걷기가 우리의 건강에 크게 영향을 미친다는 것을 알고 있는 사람은 별로 많지 않다.

걷기는 허리를 바로 세우고, 배를 내밀지 않은 반듯한 자세로 걷는 것이 좋다. 팔은 자연스럽게 흔들고 발꿈치가 가장 먼저 땅에 닿은 다음 무게중심을 발앞꿈치쪽으로 옮기는 것이 좋다. 발바닥 전체로 내딛거나 보폭을 너무 크게 하면 피로가 빨리 오고 나중에는 발바닥에 통증이 생긴다.

운동으로 걷기를 할 때에는 목표심박수를 정해놓고 그에 맞추어서 하는 것이 효과적이다.

다음은 노인이 운동으로 걷기를 실시하는 방법과 주의사항을 요약한 것이다.

» 약 10분 정도 걸었을 때 목표심박수에 도달하도록 조절하는 것이 좋다.

» 목표심박수에 도달한 다음 30~60분 동안 더 걷는 것이 좋지만, 피곤하면 30분 정도에서 그만 둔다.

» 운동빈도는 주당 4회 정도가 좋고, 친구와 함께 걷기운동을 하면 아주 좋다.

» 처음에는 하루에 약 2분씩 걷는 시간을 늘린다. 걸은 거리가 4.5킬로미터 정도 되면 시간은 늘리지 말고, 같은 거리를 더 빠른 시간 안에 걷는 식으로 연습한다.

» 정리운동을 하고 운동을 마쳐야 하고, 운동 후에 족욕이나 반신욕을 하면 피로가 빨리 풀린다. 그러나 뜨거운 한증탕에 가서 몸을 지지는 것은 금물이다.

» 충분히 숙달이 되었으면 목표심박수 또는 총 걷는 거리를 늘린다.

» 가볍고 편한 신발을 신어야 하고, 땀이 잘 흡수되는 옷을 입는 것이 좋다.

» 추울 때에는 두꺼운 옷보다는 얇은 옷을 여러 벌 껴입는 것이 좋다.

» 현기증이나 두통이 느껴지면 걷는 속도를 늦추거나 운동을 중단하고

의사와 상의해야 한다.

■ 맨손체조

맨손체조는 기구를 사용하지 않고 맨손으로 하는 온몸운동이다. 신체를 균형있게 발달시킬 뿐만 아니라 자세를 바르게 하고, 근력과 관절의 가동성을 증가시키기 때문에 운동 전후의 준비운동과 정리운동으로도 널리 이용되고 있다.

맨손체조는 특별한 기술이 필요하지 않을 뿐더러 장소에 구애받지 않으면서 특별한 시설이나 기구가 필요 없다는 것이 가장 큰 장점이다. 구령이나 음악에 맞추어 여러 사람이 한꺼번에 할 수 있어서 라디오체조로 크게 각광을 받았고, 국민체조, 보건체조, 재건체조, 새마을체조 등으로 불리기도 했다.

다음은 맨손체조를 실시하는 방법과 주의할 사항들을 정리한 것이다.

» 맨손체조는 심장에서 먼 부위부터 시작하여 점차 가까운 부위로 옮기면서 실시해야 한다.
» 움직임이 간단한 운동에서 복잡한 운동으로, 또 강도가 약한 운동에서 강한 운동으로 순차적으로 실시해야 운동효과를 크게 볼 수 있다.
» 인체의 상하좌우 어느 한쪽으로 치우침이 없이 골고루 움직여야 한다.
» 운동화를 신고 간편한 복장이어야 한다.
» 8 또는 16박자의 리듬에 맞추어 무리없이 운동을 해야 한다.

■ 달리기

달리기는 특별한 기술이나 장소에 구애받지 않는다는 점에서는 걷기와 같다. 그러나 운동량이 대단히 많은 격렬한 운동이고, 다리에 상해를 입을 위험이 크다는 점이 다르다.

다음은 달리기의 실시방법과 유의사항을 정리한 것이다.

» 몸이 지면과 수직을 이루는 것보다는 5~10도 앞으로 기울인 자세가 좋다.
» 갑작스럽게 달리거나 무리하게 달리면 안 된다.
» 손 · 발 · 어깨는 힘을 빼야 하고, 무릎은 가급적 위로 들어올리는 것이 좋다.
» 달리기를 계속하면 몸에 무리가 온다. 걷기와 달리기를 적절히 섞어서 해야 운동을 지속할 수 있다. 달리는 시간과 걷는 시간의 조합은 각자의 체력에 따라 다르다.
» 노인이 건강을 위해서 달리기를 할 때에는 20~30분 정도가 적당하고, 주당 4회가 좋다.
» 달리기를 오래 동안 해서 달리기마니아가 된 사람을 무리하게 따라가려고 하면 안 된다.
» 통증이나 몸에 이상을 느끼면 즉시 달리기를 멈추고, 걷거나 서 있어야 한다.
» 정리운동을 하지 않으면 혈액순환이 잘 안 될 수도 있으므로 반드시 정리운동을 해야 한다.
» 쿠션이 좋은 운동화와 땀을 잘 흡수하는 운동복을 착용해야 한다.
» 손목시계를 착용하여 맥박수와 운동시간을 체크해야 한다.

■ 배드민턴

배드민턴은 경기 도구와 장비가 간단하고, 협소한 장소에서도 할 수 있으며, 남녀노소 모두가 즐길 수 있는 경기이다. 배드민턴은 셔틀콕과 라켓이 모두 가벼워서 노인들도 무리없이 할 수 있는 경기이지만, 젊은 선수들이 치는 셔틀콕의 최고속도는 모든 구기경기에서 가장 빠르기 때문에 실력이 비슷한 사람과 경기를 해야 한다.

배드민턴은 근력의 발달 내지 유지, 심폐지구력의 발달 내지 유지, 순발력의 발달 내지 유지 등에 아주 좋은 운동이다. 그러나 나이가 많은 노인에게는 팔꿉관절, 손목관절, 무릎관절, 발목관절 등에 무리가 오기 쉬우므로 승패에 너무 집착하지 않는 것이 좋다.

단식경기는 너무 체력이 많이 소모되기 때문에 노인들은 하지 않는 것이 좋고, 비슷한 실력을 가진 사람끼리 편을 짜서 복식경기를 즐겨야 한다.

다음은 배드민턴 경기를 할 때 주의할 점을 정리한 것이다.

» 서비스를 할 때에는 반드시 배꼽 아래에서 해야 한다. 나이 드신 어른이 가슴 높이에서 서비스를 하는 경우가 종종 있는데, 젊은이들이 가장 싫어한다.

» 셔틀콕이 라인 안쪽에 떨어졌는지 밖에 떨어졌는지 서로 우기지 말고, 가장 가까운 곳에 있던 경기자의 판단을 믿어야 한다.

» 승리하기 위해서 약한 상대를 공격하는 것을 나쁘다고 할 수는 없지만, 지나치게 약한 상대에게만 공을 주는 것은 매너가 좋아 보이지 않으므로 주의해야 한다.

» 적절한 옷차림은 필수다. 지나치게 노출이 심하거나 등산화를 신고 코트에 들어가면 안 된다.

» 노인은 안전에 신경을 써야 한다. 점수를 한 점 잃는 것이 다치는 것보다 낫다.

■ 자전거타기

이명박 정부 이후부터 주목받고 있는 자전거타기는 건강과 체력을 유지 · 증진시킬 수 있는 가장 경제적이고도 효과적인 운동방법이다. 자전거타기는 하체의 큰근육을 주로 사용하는 유산소운동으로, 하체의 근력 및 근지구력 향상과 함께 심폐지구력을 향상시킨다.

다양한 코스와 지형이 다른 비교적 먼 거리를 달리기 때문에 지루하지 않게 운동할 수 있는 장점이 있고, 체중부하가 적어서 관절에 부담을 주지 않기 때문에 하체근력이 약한 사람, 관절이 약한 사람, 골다공증인 사람 그리고 비만인 사람들 모두에게 효과적인 운동이다.

규칙적으로 자전거타기를 하면 허파기능이 전반적으로 향상되고, 혈액의 산소 운반능력이 향상되며, 혈관의 탄력성이 좋아지고, 혈압이 낮아지는 효과가 있다. 하체근육이 반복적으로 수축 · 이완되므로 하체의 근력과 근지구력을 향상시키는 효과가 있고, 체내에 나쁜 콜레스테롤을 줄여 동맥경화를 예방하는 효과도 있다.

실외에서 자전거를 타면 스트레스 해소와 함께 자연의 상쾌함을 느끼는 하이킹 수단으로 활용할 수 있지만, 계절 · 날씨 · 주위환경 등에 따라 많은 제약을 받을 뿐만 아니라 사고위험이 크다는 단점이 있다.

실내용 자전거타기는 계절과 날씨에 구애받지 않으면서 자신이 원하는 시간에, 원하는 운동강도로 운동할 수 있다는 장점이 있지만, 지루하고 호흡기에 나쁜 영향을 줄 수 있다는 단점이 있다.

다음은 자전거 타기 운동방법과 주의사항을 정리한 것이다.

» 자전거타기는 하체에만 운동이 집중되기 때문에 심폐능력 향상을 위해서는 걷기나 달리기보다 운동 지속시간을 2배 이상으로 늘려야 한다.

» 초보자의 경우 여유 심박수의 40~75%의 운동강도로 시작하여 4주간 주 3회의 빈도로 운동을 한다. 체력이 향상되면 60~85%로 운동강도를 높인다.
» 운동시간은 초기에는 10~20분으로 하고, 점차 시간을 늘려 30~50분 정도 실시한다. 자전거타기 전후에는 준비운동과 정리운동을 반드시 실시한다. 자전거타기를 끝낸 후 1시간 이내에 피로가 회복되지 않는다면 다음 번에는 운동강도나 지속시간을 낮추어 실시해야 한다.
» 내 몸에 맞는 자전거를 타야 하고, 도로를 달릴 때에는 반드시 안전모를 착용해야 한다.
» 도로에서는 우측통행을 해서 차량과 같은 방향으로 직선 주행해야 한다.
» 야간에는 눈에 잘 띄는 밝은 옷을 입고 전조등과 반사등을 반드시 사용한다.
» 교차로나 골목길에서 방향을 변경하거나 정지할 때에는 반드시 수신호를 해야 한다.
» 내리막길에서는 무리하게 속력을 내서는 안 되며, 뒷바퀴에 먼저 제동을 가한 뒤 앞바퀴에 제동을 가한다.
» 자전거는 수시로 점검한다.
» 발의 통증과 미끄럼 방지를 위해 자신에게 맞는 신발을 선택한다. 바닥이 얇은 신발이나 샌들은 발의 피로를 일으키기 쉽고, 슬리퍼는 페달에 감겨 사고를 유발시킬 위험이 있으므로 절대 금물이다.
» 신축성이 있고, 가볍고 통풍이 잘 되는 밝은 색의 의상을 선택하고, 손목까지 단단히 조여주는 장갑을 착용하는 것이 좋다.

■ 등산

등산은 심신을 단련하고 즐거움을 찾고자 산에 오르는 것으로, 숲 속의 맑은 공기를 마실 수 있다는 점에서 건강에도 긍정적 효과를 누릴 수 있는 대표적인 유산소운동이다.

등산을 하면 청소년들에게 모험심과 성취감을 맛보게 함으로써 인내심을 기를 수 있게 해주고, 노인들에게는 만족감과 자신감을 줄 뿐만 아니라, 우울증을 해소하는 등 정신건강에도 도움이 된다.

등산은 심폐지구력을 향상시키고, 만성피로와 심혈관질환의 위험을 낮추고 운동부족을 예방할 수 있다. 자신의 체중은 물론, 각종 장비들의 무게로 인하여 근력운동의 효과를 낼 수 있어 골밀도를 높여주기 때문에 골다공증을 예방하는 데에도 도움이 된다.

노인들에게는 정상을 오르는 것이 목적이 아니라 산의 풍광을 즐기는 것이 목적인 트레킹이나 하이킹이 적당하고, 암벽을 기어오르거나 정상 정복을 목표로 하는 등반이나 등정은 피하는 것이 좋다.

다음은 등산을 할 때 주의할 점들을 정리한 것이다.

» 등산기술의 기초는 걷기이다. 평지, 오르막길, 내리막길, 시간, 장소 등에 따라 걷는 요령이 다르지만, 피로하지 않게 편안한 자세로 걷는 것이 가장 중요하다.

» 처음에는 몸이 적응할 수 있도록 천천히 걷다가 차츰 속도를 내어 걷는다. 경사도나 난이도에 따라 다르지만, 한 시간에 3 킬로미터 정도를 걷는 것이 좋다.

» 오르막길에서는 발의 앞부분부터 내딛고 신발바닥 전체를 지면에 밀착시켜 충격을 줄이도록 하며, 호흡과 속도는 일정한 리듬을 유지하면서 천천히 걷도록 한다.

» 초보자의 경우 약 30분 걷고 5~10분 정도 휴식하되, 가능하면 앉지 말고 서서 쉬는 습관을 갖는 것이 좋다.
» 내리막길에서는 발의 앞부분보다 발꿈치가 먼저 지면에 닿도록 하는 것이 좋다. 하산 시에는 발목과 무릎에 가해지는 무게가 자기 체중의 3배가 된다. 등산에서 사고가 하산할 때 많이 발생하는 것은 바로 이 때문이다. 그러므로 산을 내려올 때에는 평소보다 무릎을 더 구부린다는 생각으로 탄력있게 내려와야 하며, 절대 뛰지 않도록 한다.
» 자신의 능력에 맞는 산행을 한다. 다른 사람을 의식하거나 자신의 능력을 과대평가하는 행위는 삼가도록 한다.
» 산행 2~4시간 전에 고탄수화물 · 저지방 · 저단백질의 식사를 하는 것이 좋다.
» 산행 중 음주와 흡연은 절대 삼가고, 여벌의 옷을 준비하여 보온에 신경을 쓴다.
» 가슴이 답답하거나 두통 · 구토 · 구역질 등의 증상이 나타나면 바로 중단하고 그 자리에서 휴식을 취한다.
» 등산을 마친 후에는 스트레칭이나 가벼운 목욕으로 피로해진 근육을 이완시키고 체온을 높여준다.
» 주말에만 등산을 해야 한다면 평일에는 주당 최소 2회 이상 다른 유산소운동을 해야만 부상도 예방하고 운동의 효과도 볼 수 있다.
» 경사가 높을수록 부상의 위험이 높지만, 아무리 경사가 완만하더라도 등산에 알맞은 복장과 장비를 구비해야 한다. 등산화는 보온성과 보호성을 갖춘 것이 좋다.
» 등산복과 양말은 통기와 땀 흡수가 잘 되는 것을 선택하고, 날씨가 추울 때에는 두꺼운 옷을 하나 입는 것보다는 얇은 옷을 여러 벌 겹쳐 입는 것이 좋다.

제4장

노인의 질환별 운동프로그램 설계

01 호흡 · 순환계통 질환의 운동프로그램

1 심혈관계통 질환

심장과 주요 동맥에 발생하는 질환을 심혈관계통 질환이라고 한다.

심장병은 선천성과 후천성으로 분류하기도 하고, 병이 생긴 심장의 부위에 따라 분류하기도 한다. 심장병은 대부분 수술이나 약물요법으로 치료 내지 병증을 순화시킨다. 운동요법으로 도움을 받으려면 반드시 의사와 협의해야 한다. 운동치료사가 단독으로 심장병환자에게 운동요법을 실시하면 위법이다.

혈관계통 질환은 대동맥, 허파동맥, 목동맥, 뇌동맥, 콩팥(신장)동맥, 다리동맥, 넙다리동맥 등에 혈액이 흐르는 것을 어떤 형태로든 방해하는 병이다. 혈관계통 질환 중에 대표적인 것이 죽상경화증 또는 동맥경화증이라고 하는 질병이다.

혈관의 가장 안쪽 막인 혈관속막에 콜레스테롤이 침착되면 세포가 비정상적으로 증식되어 속이 물컹물컹한 죽 모양의 액체로 채워진 혹이 만들어진다. 죽 모양의 혹을 한문으로는 죽종(粥腫), 영어로는 atheroma라 한다. 혈관에 죽종이 생기면 죽종의 표면이 까칠까칠하고, 혈관의 벽이 두꺼워지며, 혈액이 통과할 수 있는 통로가 좁아지기 때문에 혈액순환에 지장을 받게 된다.

그러면 신체조직에 죽종이 생기기 전과 똑같은 양의 혈액을 보내기 위해서는 심장이 펌프질을 더 열심히 해야 하는데, 그러면 혈압이 올라갈 수밖에 없게 된다. 그것을 고혈압이라 하고, 죽종이 터져서 혈관 안에 피떡

(혈전)이 생겨 혈관내경이 급격하게 좁아지거나, 막히게 되는 것을 죽상경화증(동맥경화증)이라고 한다.

심장에 피를 공급하는 심장(관상)동맥에 죽상경화증이 발생하면 협심증 또는 심근경색, 뇌에 피를 공급하는 뇌동맥이나 목동맥에 죽상경화증이 발생하면 뇌졸중이나 뇌경색, 콩팥에 피를 공급하는 콩팥(신장)동맥에 죽상경화증이 발생하면 콩팥기능상실증(신부전증)이 발생한다.

■ 고혈압과 운동프로그램

혈액이 혈관벽에 가하는 힘을 혈압이라고 하는데, 수축기 혈압이 140mmHg 이상이거나 확장기 혈압이 90mmHg 이상이면 고혈압으로 진단한다. 나이가 들면서 혈압이 서서히 올라가서 고혈압이 되는 것을 1차고혈압, 어떤 병의 후유증으로 고혈압이 된 것을 2차고혈압이라 한다. 고혈압환자의 95% 이상이 1차고혈압환자이고, 1차고혈압의 발병원인은 다음과 같다.

❖ 유전……부모 중 한 사람이 고혈압일 때 자식이 고혈압이 될 확률은 약 30%, 부모가 모두 고혈압일 때 자식이 고혈압이 될 확률은 60% 이상이다.

❖ 노화……사람이 나이가 들면 혈관의 탄력성이 저하되어 고혈압이 될 가능성이 커진다.

❖ 비만……체중이 증가하면 혈액 요구량이 증가하고, 인슐린 분비량도 증가하여 혈압이 상승한다. 비만인 사람은 체성분 중 지방의 비율(체지방률)이 높다. 체지방률이 높으면 혈관벽에 죽종이 생길 확률이 높아지기 때문에 고혈압이 될 확률도 높아진다.

❖ 소금……소금을 많이 먹으면 고혈압이 될 확률이 높아지므로 저염

식을 권장한다.

❖ 흡연……담배의 니코틴과 다른 유해 물질들이 혈관을 좁게 만들고, 아드레날린을 증가시켜 고혈압을 유발한다. 일산화탄소도 고혈압을 유발한다.

❖ 스트레스……스트레스를 받거나 흥분하면 뇌하수체의 호르몬 분비를 촉진시켜 교감신경이 활성화된다. 그러면 말초혈관을 수축시켜서 혈압이 증가하고 심박수가 증가한다.

고혈압인 사람이 주기적으로 운동을 하면 혈관의 내경을 늘리고, 혈관의 탄력성을 증가시켜 혈압을 낮추어주는 효과가 있다. 운동을 멈추면 약 2주 후부터 혈압을 낮추어주는 효과가 사라져버린다. 그러나 고혈압인 사람이 격렬한 운동을 갑자기 하면 아주 위험하고, 너무 저강도의 운동을 하면 운동효과를 기대할 수 없다.

고혈압인 사람이 운동을 하는 방법은 다음과 같다.

» 운동강도는 최대산소섭취량의 50~70%로 하고, 자각적 운동강도(운동자각도)는 '가볍다' ~ '다소 힘들다'로, 맥박수는 젖산역치에 해당하는 맥박수를 목표심박수로 결정해서 운동할 것을 권장한다. 젖산역치에 해당하는 맥박수는 '138－(나이÷2)'로 계산한다. 예를 들어 70세인 사람의 맥박수는 '138－(70÷2)=103회/분'이다.

» 운동의 종류는 걷기, 맨손체조, 자전거타기, 수영, 뒤로 걷기, 사교댄스, 조깅, 게이트볼 등이 적당하다. 그러나 축구, 농구, 테니스, 중량운동 등은 가급적 피하는 것이 좋다.

» 운동 지속시간은 1회에 30~60분이 적당하다.

» 운동빈도는 주당 2~3회가 알맞다.

» 중량들기 운동을 할 때는 무거운 중량은 피하고, 가벼운 무게를 여러

번 드는 것이 좋다.

» 혈압강하제를 복용하고 있는 사람이 운동을 하면 혈압강하 효과의 한계로 인하여 부작용이 유발될 가능성이 있으므로 주의해야 한다.

» 운동에 의한 혈압저하 효과는 수축기 혈압이 약 10mmHg, 확장기 혈압이 약 5mmHg 정도이다.

» 추울 때 운동을 하면 갑자기 혈압을 상승시키므로 좋지 않다.

■ 심장병과 운동프로그램

대부분의 심장병은 운동을 권장하지 않고 오히려 금기시하고 있다. 그러나 심장동맥을 통해서 심장근육에 혈액을 공급하는 것이 일시적으로 잘되지 않아서 가슴이 답답하고 통증을 느끼는 허혈성 협심증일 때에만 운동을 권장한다.

허혈성 협심증환자가 운동을 하면 최대산소섭취량과 근력이 증가한다. 그러면 평소에 심장이 느끼는 부담의 정도가 완화될 것이다. 허혈성 협심증이 발생한 후 약 8주가 지나면 회복기에 접어든 것으로 보기 때문에 회복기 중에 운동을 해야 한다. 그러나 운동 중에 심장에 이상이 생기면 즉시 모니터링할 수 있는 상황일 때에만 운동을 해야 한다.

심장병환자가 운동을 하는 방법은 다음과 같다.

» 운동의 종류는 걷기나 자전거타기가 적당하다.

» 운동강도는 여유심박수의 50%를 목표심박수로 결정한다.

» 운동 지속시간은 약 20분이 좋다.

» 운동빈도는 주당 3회로 한다.

» 준비운동과 정리운동은 각각 5분 이상 실시한다.

2 대사성 질환

대사증후군(metabolic syndrome)은 고혈압, 고지질혈증(이상지질혈증), 인슐린저항성 등을 지칭하는 말이다. 미국인 의사가 이러한 증상들의 공통적인 원인이 체내에서 인슐린작용이 잘 되지 않는 것이라고 주장하면서 '인슐린저항성 증후군'이라고 이름을 붙였으나, 1998년 세계보건기구에서 인슐린저항성이 이러한 증상들을 모두 설명할 수 있다는 확증이 없기 때문에 '대사증후군'으로 부르기로 했다.

생활환경 · 과도한 영양섭취 · 운동부족 등과 같은 생활습관이 대사증후군의 원인이다. 이 증후군은 당질, 지질, 단백질, 비타민, 무기질, 수분 등 체내의 물질대사 장애에 의해서 발생하는 질환이라고 설명할 수 있다. 당뇨병, 고혈압, 고지질혈증, 심장병 등이 주요 대사증후군이다.

■ 당뇨병과 운동프로그램

이자(췌장)에서 분비되는 '인슐린'이라는 호르몬은 모세혈관 안에 있는 당분(글루코스)을 흡수해서 근육이 에너지원으로 이용할 수 있도록 도와주는 역할을 한다. 어떤 원인에 의해서 인슐린이 제기능을 다하지 못하게 되면 혈액 속에 당분이 너무 많아지는데, 이 경우 콩팥에서 당분을 걸러내서 소변으로 배출하게 된다. 그래서 당분이 많이 들어 있는 소변을 보는 병이기 때문에 '당뇨병'이라고 한다.

당뇨병에는 제1형 당뇨병과 제2형 당뇨병이 있다. 이자(췌장)에서 인슐린을 전혀 생산하지 못하게 된 것을 제1형 당뇨병이라 하는데, 이 경우에는 평생 동안 인슐린주사를 맞아야 한다. 이자에서 인슐린을 너무 적게 생산하거나 인슐린저항성이 커진 것을 제2형 당뇨병이라 하는데, 제2형 당뇨병환자는 운동이 필수적이다.

근육세포가 모세혈관의 혈액에서 당분을 흡수하도록 인슐린이 도와주었을 때 도와준 효과가 잘 나타나면 "인슐린 감수성이 좋다."고 하고, 도움의 효과가 조금밖에 나타나지 않으면 "인슐린 저항성이 크다."고 한다. 나이가 들어서 노인이 되면 인슐린 저항성이 커지는 경우가 많다. 그러한 증상을 특별히 '노인성 당뇨'라고 하지만, 요즈음에는 40대에 노인성 당뇨가 발병되는 사람도 많다.

다음 3가지 증상 중 한 가지 이상이 나타나면 당뇨병으로 진단한다.

» 공복시혈당이 126mg/dl 이상(정상은 110mg/dl 미만)
» 당뇨병의 전형적인 증상인 다음(물을 자주 많이 마신다), 다뇨(소변을 자주 본다), 다식(음식을 많이 먹는다), 체중감소(몸무게가 준다)가 나타난다.
» 경구당부하 검사에서 1번이라도 혈당이 200mg/dl 이상(공복상태에서 혈당검사를 한 다음 포도당을 먹고 30분 간격으로 혈당검사를 4~6회 하는 것)

당뇨를 개선하기 위해서는 근본적으로 음식물을 통한 당분의 섭취를 줄이고, 운동을 통해서 혈액 안에 들어 있는 당분의 소비를 증가시켜야 한다. 약물요법 · 식이요법 · 운동요법의 병행이 가장 효과적인 방법으로 알려져 있다.

다음은 당뇨병환자를 위한 운동프로그램의 내용을 요약한 것이다.

» 운동의 종류는 걷기, 조깅, 자전거타기, 수영, 계단 오르기, 등산 등이 적당하다.
» 운동강도는 저강도~낮은 고강도, 최대산소섭취량의 40~60%, 여유

심박수의 30~50%, 1RM의 30~50%가 적당하다.

» 식사 후 30~60분에 운동을 시작해서 20~60분 동안 운동을 지속한다.

» 운동빈도는 주당 3회 이상이 적당하다.

» 병이 나지 않는 한 전체 활동량이 많을수록 당뇨 개선에 효과가 있다.

» 오전보다는 오후가 더 좋다.

» 너무 춥거나 더우면 운동할 때 주의한다.

» 합병증이 있을 경우에는 의사와 상의한 다음 운동을 해야 한다.

» 운동강도를 점차적으로 증가시킨다.

▶ 표 4-1 당뇨병환자의 16주 운동프로그램(예)

운동단계	운동형태	운동강도	운동시간	
1단계 (4주)	일상생활, 걷기	30%	유형 I : 20분 유형 II : 30분	유형 I : 주당 5일 유형 II : 주당 5일
2단계 (4주)	빠르게 걷기, 가벼운 조깅, 자전거, 수영	40%	유형 I : 20분 유형 II : 30분	유형 I : 주당 6일 유형 II : 주당 5일
3단계 (4주)	빠르게 걷기, 조깅, 자전거, 수영, 계단오르기	유형 I : 45%	유형 I : 30분	유형 I : 주당 7일
		유형 II : 50%	유형 II : 40분	유형 II : 주당 5일
4단계 (4주)	조깅, 수영, 아쿠아로빅, 등산	유형 I : 50~60% 유형 II : 55~65%	유형 I : 30분 유형 II : 45~60분	유형 I : 주당 7일 유형 II : 주당 5일

※ 유형 I : 인슐린의존당뇨병, 유형 II : 인슐린비의존당뇨병
출처: 임완기 외(2004). 성인병과 운동처방. 홍경.

■ 고지질혈증과 운동프로그램

피 속에 지방성분이 정상보다 많이 들어 있는 상태를 고지질혈증(지질이상증)이라 한다. 피 속의 지방성분 자체가 직접적인 질병원인이 되지는 않지만, 지방성분이 많은 상태가 지속되면 동맥경화와 이로 인한 심혈관계통 질환으로 악화될 우려가 크다.

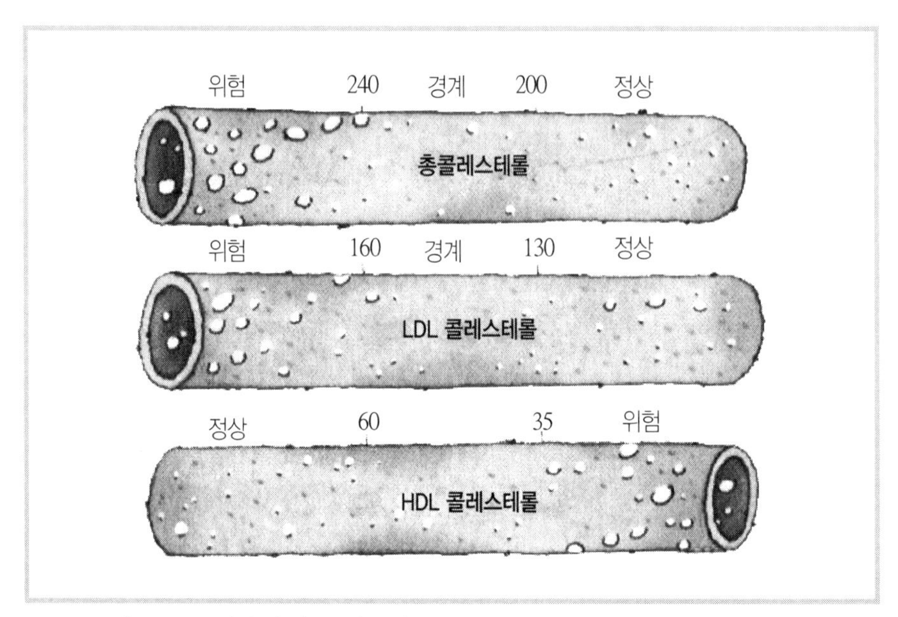

▶ 그림 4-1 정산적인 콜레스테롤 수치

콜레스테롤은 지방성분의 일종으로 동물세포의 세포막을 구성하는 기본물질이다. 콜레스테롤은 혈액 속에 있는 단백질과 결합해서 돌아다니는데, 결합 정도에 따라 중성지질, 저밀도지질단백질(LDL콜레스테롤), 고밀도지질단백질(HDL콜레스테롤)로 분류한다.

» LDL콜레스테롤을 흔히 '나쁜 콜레스테롤'이라 한다. LDL콜레스테롤 수치가 높을수록 심장질환의 위험이 높다.

» HDL콜레스테롤은 혈액 속에 있는 콜레스테롤을 없애는 역할을 하기 때문에 '좋은 콜레스테롤'이라 한다. HDL 콜레스테롤 수치가 낮을수록 심장질환의 위험이 높다.

» 중성지질은 혈액에 들어 있는 지방의 일종이다. 보통 중성지질이 높은 사람은 LDL콜레스테롤도 높은 경우가 많다.

고지질혈증은 혈액의 응고에 변화를 일으켜 혈액점도를 상승시키고, 혈관염증에 의해서 말초순환 장애를 일으키며, 동맥에 죽상경화를 일으켜 뇌경색 또는 심근(심장근육)경색의 직접적인 원인이 된다.

유전적인 요인으로 인해 혈액 내에 특정지질이 증가하여 고지질혈증이 발생하는 경우가 많지만, 비만 · 술 · 당뇨병 등과 같은 다른 원인에 의해서도 고지질혈증이 생길 수 있다.

고지질혈증은 완치되어 없어지는 병이 아니라 조절이 필요한 병이다. 식이와 생활습관만 바꾸어도 바람직한 수준으로 콜레스테롤을 낮출 수 있지만, 때로는 약을 반드시 복용해야 하는 경우도 있다. 콜레스테롤 수치가 정상이 되더라도 그 상태를 계속 유지하기 위해서는 지속적인 노력이 요구된다.

콜레스테롤 함량을 지속적으로 관리하기 위해서는 다음 3가지 사항을 잘 지켜야 한다.

» 저지방, 저콜레스테롤의 건강에 유익한 식품을 섭취한다.
» 규칙적인 운동습관을 갖는다.
» 필요한 경우 지질강하제를 복용한다.

다음은 고지질혈증환자를 위한 운동요법의 내용을 요약하여 정리한 것이다.

» 일반적으로 달리기, 걷기, 수영, 골프, 자전거타기, 체조, 스키 등의 유산소운동은 심장이 두근거리고 땀이 나고 얼굴도 붉어질 정도까지 하는 것이 좋다.
» 운동 지속시간은 30분에서 45분 정도가 적합하고, 서서히 운동량을 늘려야 한다.
» 운동빈도는 주당 3회 이상이 좋다.
» 흥미가 없는 운동을 하면 얼마 못하고 포기하게 되므로 자기가 좋아

하는 운동을 가족이나 친구와 함께하는 것이 좋다.

» 규칙적인 운동을 통해 정상체중을 유지하는 것이 중요하다. 운동을 통해 복부비만을 줄이면 콜레스테롤 수치가 좋아진다.
» 고지질혈증의 합병증이 나타나면 즉시 운동을 중단하고 의사와 상의해야 한다.

다음은 고지질혈증환자를 위한 식이요법의 내용을 요약하여 정리한 것이다.

» 식이요법은 모든 고지질혈증 치료의 기본이다. 사람마다 먹는 것도 다르고 환경도 다르므로 자기에게 맞게 식이요법을 시행해야 한다.
» 섭취하는 지방량을 총섭취칼로리의 25~35%로 제한한다. 특히 버터, 치즈, 우유, 소고기, 돼지고기, 닭고기, 초콜릿, 마가린 등은 포화지방이 많으므로 적게 복용해야 한다.
» 육류 음식에서 눈에 보이는 기름은 가능한 한 제거하고, 튀김은 피한다.
» 고기보다는 생선을, 우유보다는 탈지우유를 섭취하는 것이 좋다.
» 탄수화물을 지나치게 많이 섭취하면 중성지방이 증가하고 HDL콜레스테롤이 감소할 수 있으므로 주의한다.
» 너무 짜게 먹는 것도 좋지 않다.

3 호흡계통 질환

호흡계통은 공기 중의 산소를 흡입하고 에너지대사의 결과로 발생한 이산화탄소를 배출하는 기능을 하는 계통이다. 이 계통은 기도(숨길), 허파, 호흡근육, 가슴우리(흉곽), 가로막 등으로 이루어져 있다. 가스교환은 허파꽈리(폐포)에서 루어진다.

가로막(횡격막)을 포함한 호흡근과 가슴우리의 움직임을 통해서 허파 안팎에 압력차이가 생겨 공기흐름이 발생하는 것이 들숨과 날숨이다. 평상시 들숨은 호흡근과 가로막의 능동적 운동에 의해서 이루어지고, 날숨은 탄력반동에 의해서 수동적으로 이루어지지만, 운동 시에는 들숨과 날숨 모두 능동적인 근육수축에 의해서 이루어진다.

기도(숨길)는 공기가 입과 코를 지나 허파에 도달하기까지의 통로이다. 코 안에서 인두까지를 상기도, 나머지 후두 · 기관 · 기관지로 이어지는 부분을 하기도라고 한다.

호흡계통 질환으로는 감염성 질환(감기와 폐렴), 기도관련 질환(기관지천식, 기관지염, 폐기종), 악성 종양 등이 있다.

■ 기관지천식과 운동프로그램

기관지가 좁아져서 숨이 차고, '가랑가랑'하는 숨소리가 들리면서 기침을 심하게 하는 증상을 기관지천식이라고 한다. 기관지천식은 기관지의 알레르기염증 반응 때문에 발생하는데, 이것은 유전적 요인과 환경적 요인이 합쳐져서 나타난다.

천식을 유발하는 원인물질에는 집먼지, 진드기, 꽃가루, 동물 털, 바퀴벌레, 식품, 약물 등이 있다. 또 증세를 악화시키는 악화요인에는 감기, 담배연기, 실내오염, 대기오염, 식품첨가제, 운동과 같은 신체활동, 기후변화, 황사, 스트레스 등이 있다.

기관지천식은 만성적이고 재발이 많은 질환이므로 증상을 잘 조절하고 허파기능을 정상화하여 일상생활을 정상적으로 유지하는 것이 중요하다.

기관지천식의 치료로는 병을 조절하는 약제를 장기간 사용하는 약물요법, 천식의 원인물질에 노출을 최소화하고 악화요인으로부터 회피하는 회피요법, 원인물질을 소량씩 주사하여 알레르기 체질을 개선하는 면역요법, 적절한 운동을 통하여 심폐기능과 근육을 강화시키는 운동요법 등이 있다.

기관지천식환자들의 상당수는 운동, 특히 찬 공기를 마시며 달리면 기관지 수축이 와서 심한 호흡곤란을 느끼게 되므로 운동 전에 적절한 약제를 복용하고, 준비운동을 반드시 해야 한다.

다음은 기관지천식환자를 위한 운동요법의 내용을 요약하여 정리한 것이다.

» 운동요법의 목표는 호흡효율을 개선시키고, 지구력을 향상시키는 데 있다.

» 걷기, 실내에서 자전거타기, 등산, 에어로빅, 수영, 물속에서 걷기 등이 좋다. 특히 물속에서 하는 운동은 기관지가 냉각되어 수축하거나 습도가 낮아 건조해질 염려가 거의 없기 때문에 기관지천식환자들에게 아주 적절한 운동이다.

» 기관지천식환자는 대부분 숨이 차서 운동을 거의 하지 않았기 때문에 몸이 몹시 약해진 상태이다. 그러므로 운동을 낮은 강도에서 시작하여 적응이 되어가는 형편에 따라 조금씩 강도를 높이는 것이 좋다.

» 운동 지속시간은 20~30분으로 짧게 하고, 그 시간도 한꺼번에 계속해서 운동하지 말고 반드시 중간중간에 휴식을 해야 한다. 그렇지 않으면 운동유발성 천식 발작이 일어날 수도 있기 때문이다.

» 운동빈도는 거의 매일 해야 한다. 운동 지속시간이 짧기 때문에 그것을 보상하기 위해서이다.

» 중간정도 이상의 기관지천식환자는 의사와 협의하여 운동을 해야 한다.

02 근골격 · 신경계통 질환의 운동프로그램

1 근골격계통 질환

근골격계통은 근육과 뼈가 주축이 되어 있는 계통으로, 사람의 외형적인 모양을 만들고 움직임을 가능하게 한다.

사람의 뼈는 태어날 때는 300개 이상이지만, 성장하면서 206개로 유합된다. 뼈는 머리뼈, 척추뼈, 팔 · 다리뼈와 같은 큰뼈와 손가락뼈나 발가락뼈와 같이 세밀한 움직임을 위한 작은 뼈로 구성되어 있다.

근육은 뼈와 뼈 사이나 뼈와 연조직을 연결하여 뼈와 연조직에 움직임을 부여한다. 사람에는 뼈의 숫자보다 훨씬 많은 수의 근육이 있어서 뛰기나 걷기 등의 큰 움직임과 숟가락질 · 젓가락질과 같은 작고 세밀한 움직임을 할 수 있다.

근골격계통 질환은 전자부품의 조립, 용접과 같은 반복작업, 불편하고 부자연스러운 작업자세, 강한 노동강도, 작업 시 요구되는 과도한 힘, 불충분한 휴식, 손과 팔 부위에 작용하는 과도한 진동 등이 원인이 되어 목 · 어깨 · 팔꿈치 · 손목 · 손가락 · 허리 · 등의 관절부위를 중심으로 근육 · 혈관 · 신경에 미세한 손상이 생겨 결국 감각이상을 호소하는 근골격계통의 만성적인 건강장애라고 할 수 있다.

근골격계통 질환이나 손상은 통증, 변형, 기능장애 등의 형태로 나타난다. 생명을 위협하는 경우는 적으나 방치하면 영구적인 장애로 남게 되어서 삶의 질을 저하시킨다. 근골격계통 질환 중에서 노인들에게 자주 발병되는 것이 퇴행성관절염과 골다공증이다.

■ 퇴행성관절염과 운동프로그램

퇴행성관절염은 관절을 보호하고 있는 연골의 점진적인 손상이나 퇴행성 변화로 인해 관절을 이루는 뼈와 인대 등이 손상되어 염증과 통증이 생기는 질환으로, 관절의 염증성 질환 중 가장 높은 발생빈도를 보인다.

특별한 기질적 원인없이 나이 · 성별 · 유전적 요소 · 비만 · 특정 관절부위 등의 요인에 따라 발생하는 1차성 관절염과 관절연골에 손상을 줄 수 있는 외상 · 질병 · 기형 등이 원인이 되어 발생하는 2차성 관절염으로 분류한다.

1차성 관절염은 대부분 노인들에게 발생하는데, 노화가 관절염의 발생위험을 증가시키기는 하지만 노화 자체가 원인은 아니다.

관절염은 발생된 부위에 따라서 증상이 조금씩 다르기는 하지만 주로 오래 걷거나 서 있을 때, 혹은 오랫동안 앉아 있다 일어설 때 통증이 생긴다. 또 계단을 올라가거나 내려갈 때 통증이 심해지고, 쪼그려 앉으면 통증으로 힘이 든다. 관절통 때문에 다리를 쓰지 않으면 다리근육이 약해져 다리가 가늘어지고 관절통이 더 심해질 수 도 있다.

초기에는 관절염이 발생한 관절부위에 국소적인 통증이 오고, 전신적인 통증은 없다. 병이 진행되면 움직임 여부에 관계없이 지속적으로 통증이 나타나기도 한다.

다음과 같은 증상이 관절염의 대표적인 증상이다.

» 관절의 운동범위가 감소된다.

» 관절이 붓는다(부종).

» 관절 주위에 압통이 나타나며 관절연골의 소실과 변성에 의해 관절면이 불규칙해지면 관절운동 시 마찰음이 느껴질 수도 있다.

이와 같은 증상들은 일반적으로 서서히 진행되며, 간혹 증상이 좋아졌다가 나빠지는 간헐적인 경과를 보이기도 한다.

퇴행성관절염으로 통증이 있는 환자는 아래의 PRICE 원칙을 따라야 한다.

❖ Protection……지팡이를 사용해 체중부하를 줄여 관절을 보호한다.
❖ Rest……오래 서 있기나 계단 오르기는 될 수 있으면 피하고 휴식을 취한다.
❖ Ice……얼음찜질을 하루 15분씩 여러 번 실시한다.
❖ Compression……붕대로 감아 압박한다.
❖ Elevation……무릎이 부었으면 다리를 들어올린다.

퇴행성관절염은 관절연골의 퇴행성변화에 의해 발생되므로 이를 완전히 정지시킬 수 있는 확실한 방법은 아직 없다. 따라서 치료목적도 환자로 하여금 질병의 성질을 이해하도록 하여 정신적인 안정을 마련해주면서 통증을 경감시켜주고, 관절기능을 유지시키며, 변형을 방지하는 데 있다. 그러나 변형이 이미 발생한 경우에는 수술을 해서 교정하고, 재활치료를 실시하여 관절손상이 빨리 진행되는 것을 예방하고, 환자가 동통을 느끼지 않는 운동범위를 증가시킴으로써 환자의 일상생활에 도움을 주는 데 목적이 있다.

퇴행성관절염을 예방하거나 치료할 수 있는 확실한 약물은 개발되어 있지 않지만, 진통 및 항염작용을 하는 약품들을 사용하는 것을 '약물치료'라고 한다. 최근에는 연골의 파괴 방지와 생성에 관여한다고 주장되는 약물들이 건강보조식품의 일종으로 사용되고 있다.

적절한 휴식과 운동을 균형 있게 실시하면 증상의 경감을 기대할 수 있다. 휴식이 증상의 호전에 중요하지만, 지나친 휴식은 근육의 위축을 가져와 관절운동범위를 감소시킬 수 있으므로 주의해야 한다. 또, 부목이나 보조기를 일정 기간 착용하여 관절을 쉬게 해 줄 수도 있다.

퇴행성관절염환자가 운동을 하면 관절에 무리가 가서 병증을 악화시킬 것이라고 생각해서 관절을 고정시키던 때가 있었다. 그러나 관절을 고정시키면 관절윤활액이 순환되지 않아서 병증이 오히려 더 악화된다는 것이 알려진 이후부터 퇴행성관절염환자도 운동을 해야 하는 것으로 바뀌었다. 그러나 병증이 심한 환자, 또는 합병증을 가지고 있는 노인은 운동요법을 실시하기 전에 의사와 먼저 상의해야 한다.

다음은 퇴행성관절염환자를 위한 운동요법을 요약한 것이다.

» 관절염의 증상으로 근육의 위축현상이 나타날 수 있기 때문에 가벼운 유산소운동과 근력강화운동을 하면 골관절염의 통증 감소와 관절의 안정성에 도움이 된다.
» 수영 · 자전거타기 등을 이용한 운동치료 및 물리치료를 초기 치료로 병행할 수 있다. 예를 들어 무릎의 퇴행성관절염에 대하여 허벅다리 앞쪽 근육을 강화하는 운동이 동통감소와 기능 향상에 도움이 된다. 또, 목이나 엉덩관절의 경우 간헐적인 견인요법이 도움이 될 수 있다.
» 온열요법, 마사지, 경피신경자극 등과 같은 물리치료가 증상완화와 근육위축방지에 효과적일 수 있다.
» 수중운동이나 실내에서 자전거타기를 하는 것이 좋다. 수중운동을 할 때는 수온이 섭씨 29~32도가 되어야 한다.
» 운동강도는 유산소운동인 경우 여유심박수의 40~60%, 근력운동인 경우 1RM의 40~60%가 적당하다.
» 운동 지속시간은 10분 이하 운동을 한 다음 쉬었다가 다시 운동하는 인터벌트레이닝 방법으로 해야 한다. 주당 3회, 총운동시간은 주당

150분 정도가 되도록 한다.

» 통증이 심한 관절에 스테로이드 제재를 주입하면 일시적으로 호전되지만, 자주 사용하면 습관성이 되기 쉬우므로 자제해야 한다.

» 정상체중을 유지하는 것이 체중이 부하되는 관절에 발생하는 퇴행성관절염의 예방에 필수적이다.

» 식이요법이나 약물요법을 통한 퇴행성관절염의 예방은 현재까지 확실히 검증된 방법이 없다.

» 운동을 많이 하는 사람이 그렇지 않은 사람보다 퇴행성관절염의 발병이 더 늦어졌다는 보고가 있다.

» 축구나 레슬링처럼 접촉이 많은 스포츠를 하는 것은 퇴행성관절염의 위험을 증가시키는데, 그것은 상대선수에 의해 관절에 충격이 가해진 탓이다. 조깅 등을 하면 퇴행성관절염이 방지된다는 것이 대체적인 결론이다.

■ 골다공증과 운동프로그램

뼈의 강도가 약해져서 골절되기 쉬운 상태를 골다공증이라고 한다. 골다공증 자체가 어떤 증상을 일으키는 것이 아니고, 뼈가 부러져서 검사를 했더니 골다공증이 있는 것을 발견하는 경우가 많다. 그러므로 골다공증의 주증상은 골절이라고 할 수 있으며, 손목 · 척추 · 넙다리뼈 등에서 골절이 가장 흔하게 발생한다.

뼈의 강도는 뼈의 양(밀도)과 질에 의해서 결정된다. 뼈의 양은 청소년기에서 성인기로 넘어가는 시기에 최대가 되고(최대골량), 뼈의 질에 영향을 주는 요소로는 뼈의 구조, 뼈교체율, 무기질화, 미세손상 등이 있다. 우리 몸의 뼈는 일생에 걸쳐 흡수(파괴)되고 다시 형성되는 과정을 반복하는데, 그 과정이 반복되는 속도를 '뼈 교체율'이라고 한다.

골다공증은 노화에 의하여 자연적으로 발생하는 1차성 골다공증과 병이나 약물이 원인이 되어 발생하는 2차성 골다공증이 있다. 1차성 골다공증은 폐경 여성에서 발생되는 '폐경 후 골다공증'과 '노인성 골다공증'으로 분류한다.

폐경에 의해서 여성호르몬이 감소하면 뼈의 양이 급속하게 감소되기 때문에 폐경 후 5~10년 내에 생기는 것이 폐경 후 골다공증이다. 남성의 경우 나이가 증가함에 따라 장에서 칼슘의 섭취가 적어지고 뼈의 생성도 감소하기 때문에 골다공증이 발생되는 것이 노인성 골다공증이다.

골다공증 자체가 위험한 것이 아니라 골다공증에 의해 골절이 발생하면 다음과 같은 문제가 발생한다.

» 또 골절이 될 재골절위험이 2~10배 증가한다(척추뼈 골절이 발생되면 5명 중에 1명은 1년 이내에 또 다른 척추 골절이 발생할 수 있다).
» 골다공증으로 골절이 발생하면 사망률이 현저하게 증가하기 때문에 문제가 된다(넙다리뼈골절 후 첫 1년 내에 사망할 확률이 15~20%나 되고, 5년 생존율은 약 80% 낮아진다).

골다공증을 예방하기 위한 방법은 다음과 같다.

❖ **칼슘섭취**……칼슘은 뼈의 무기질 침착에 필요한 재료일 뿐만 아니라 뼈의 파괴를 억제하는 효과를 갖고 있기 때문에 골다공증의 예방에 꼭 필요하다. WHO에서는 50세 미만의 성인은 하루 1,000mg, 50세 이상 성인은 하루 1,200mg의 칼슘섭취를 권장하고 있다.

❖ **비타민 D 섭취**……비타민 D는 식사를 통한 섭취와 자외선에 의한 피부합성을 통해 섭취된다. 섭취된 후에는 간과 콩팥을 거치면서 활성

비타민 D로 변화된다. 활성비타민 D는 장에서 칼슘흡수를 증가시키는데, 이것은 뼈의 무기질침착에 중요한 역할을 한다. 비타민 D가 결핍되면 뼈가 약해지는 골연화증이 발생한다.

❖ 운동……젊은 사람이 운동을 하면 유전적으로 결정된 최대골량을 획득할 수 있는 가능성을 증가시키고, 성인이 운동을 하면 골량은 증가시키지는 않지만 뼈의 감소는 막을 수 있다. 운동은 근육기능에도 좋은 효과를 주며, 조정기능 · 균형감을 증가시켜 낙상위험을 감소시킨다.

❖ 생활양식……담배를 끊는 것이 좋고, 소량의 음주는 괜찮지만 과도한 음주는 뼈의 건강을 해치며 낙상의 위험도 증가시키므로 피하는 것이 좋다. 짠 음식을 피하여 염분과 함께 칼슘이 소실되는 것을 방지하여야 한다.

다음은 골다공증을 예방 또는 증후를 개선하기 위한 운동요법과 주의사항을 요약하여 정리한 것이다.

» 골다공증에는 체중부하운동이나 균형감을 증진시키는 운동이 권장된다. 걷기나 등산과 같은 유산소운동과 저항성 근력운동을 병행하는 것이 좋다.

» 스트레칭, 제자리에서 뛰기, 댄싱, 헬스기구를 이용하는 운동 등이 좋다. 개인적인 선호도와 전신의 건강상태를 고려해서 운동종목을 정해야 한다.

» 수영, 수중운동, 자전거타기 등은 체중이 부하로 작용하지 않기 때문에 뼈에 대한 효과는 별로 없지만, 근육에 대한 효과 때문에 도움이 될 수 있다.

» 운동은 습관적 · 지속적으로 해야 한다.

» 운동강도는 유산소운동인 경우에는 최대산소섭취량의 60~80%에서, 저항성근력운동인 경우에는 최대근력의 60~80%에서 시작하여 90%까지 점차적으로 늘린다.
» 운동 지속시간은 하루에 30~60분 이상이 적당하다.
» 운동빈도는 유산소운동은 주당 3~5회, 근력운동은 주당 3회가 적당하다.
» 1주일에 2회씩은 약 15분 정도 햇볕을 쬐어 뼈에 필요한 비타민 D를 충분히 합성하도록 하는 것이 좋다.
» 골다공증에 의한 골절로 장기간 입원했던 사람은 의사와 상의한 다음 운동을 해야 한다. 왜냐하면 잘못하면 재골절을 유발할 수도 있기 때문이다.

2 신경계통 질환

우리 몸의 신경계통은 신체 내부와 외부에서 자극과 신호를 받아들여 다른 부위로 전달하고 반응을 일으키는 기관이다. 즉 신체활동을 상황에 맞게 조절하고 통제하는 역할을 하며, 뇌와 척수로 구성된 중추신경계통과 뇌와 척수 이외의 모든 신경인 말초신경계통으로 구성되어 있다.

신경계통에 문제가 생기면 치명적인 질환에 걸릴 수 있는데, 신경계통 질환은 대개 완치되기 어렵다.

신경계통질환 중에서 대표적인 4가지 질환에 대하여 간략히 설명한다.

❖ 뇌전증……간질이라는 말이 잘못된 용어는 아니지만, 사회적 편견이 심하고 간질이라는 용어가 주는 사회적 낙인이 심하기 때문에 뇌전증이라는 용어로 변경되었다. 대뇌겉질(대뇌피질)의 신경세포들이

갑작스럽고 무질서하게 과흥분됨으로써 나타나는 신체증상을 뇌전증발작이라 하고, 뇌전증발작이 반복적으로 발생해서 약물치료나 수술이 필요하면 뇌전증이라고 한다. 그 원인은 유전 · 중추신경계통의 손상, 음주 등이다. 발작이 심해지면 거품을 물고 호흡이 어려워져서 사망에 이르기도 한다. 발작 이외에도 팔다리에 경련이 생기거나 잠을 자다가 몸을 크게 움직이는 증상도 나타나는데, 꾸준히 약물치료를 하면 정상적인 일상생활이 가능하다.

❖ **파킨슨병**……운동신경의 신경전달물질인 도파민이 부족하여 발생하는 질환이며, 환자가 연평균 8%씩 증가하는 추세이다. 발병 초기에는 몸이 떨리고 걸음이 느려지다가 점점 근육이 굳어져서 나중에는 거의 움직이지 못할 정도가 되는 치명적인 질병이다. 평소에 잘 걷다가 갑자기 걸음이 멈추는 보행동결 증상도 생기는데, 이러한 증상이 길을 가다가 나타나면 매우 위험하다. 미각과 후각이 저하되고 잠꼬대가 늘기도 하며 우울증에 걸리기도 한다. 위장운동 촉진제를 먹는 사람은 약물이 위장에 있는 도파민수용체의 활동을 억제하기 때문에 파킨슨병에 더 취약하다. 파킨슨병은 완치할 수는 없지만, 조기에 발견하면 약물치료로 병의 진행을 늦출 수 있다.

❖ **뇌졸중**……뇌혈관이 막히는 뇌경색, 뇌혈관이 터지는 뇌출혈 등으로 뇌세포가 손상되는 질환이다. 뇌졸중(중풍)은 사망으로 이어질 위험이 매우 크고, 사망하지 않더라도 심각한 뇌손상을 입어 신체적 · 정신적 장애가 남는다. 고혈압 · 당뇨병 · 고지질혈증 등의 환자는 뇌졸중에 걸릴 확률이 더 크므로 평소에 혈관 건강을 지키는 생활습관을 가져야 한다. 나트륨 섭취를 줄이고, 포화지방이 많이 들어 있는 튀김이나 과자를 덜 먹는 것이 좋고, 음주와 흡연도 피하는 것이 좋다. 비만하면 혈관을 막는 혈전이 더 잘 생기므로 꾸준한 운동을 통

해서 정상체중을 유지해야 한다.

치매와 운동프로그램

치매는 노화로 인해 발생하는 대표적인 신경계통 질환이며, 알츠하이머치매와 혈관성치매로 나뉜다. 알츠하이머치매는 뇌에 특정 단백질이 쌓이는 것이 원인인데, 한번 발생하면 완치가 어렵고 약물치료로 병의 진행을 늦출 수는 있다. 초기에 발견하면 운동요법의 효과도 기대할 수 있다.

혈관성치매는 뇌로 가는 혈액이 줄거나 뇌혈관이 손상되어 발생하므로, 원인질환이 생기지 않도록 관리하면 예방치료할 수 있다. 걷기 · 수영 · 달리기 등과 같은 유산소운동을 꾸준히 하고, 영양소를 골고루 섭취하는 등 건강한 습관을 가지면 증상이 잘 호전되므로 적극적으로 치료를 받아야 한다.

당뇨병 · 고지질혈증 · 고혈압 등은 치매의 주요 원인이 된다. 손상을 입은 뇌부위에 따라 증상이 다양하다. 기본증상으로는 기억능력, 언어능력, 시공간 인지능력, 계산능력 등이 저하되는 것과 성격 및 감정변화를 들 수 있다.

치매에 의한 기억능력 저하는 건망증과는 다르다. 건망증은 어떤 사실을 잊었더라도 누가 귀띔을 해주면 금방 기억해 내지만, 치매환자는 힌트를 줘도 전혀 기억하지 못한다.

치매는 정상적인 지적 능력을 유지하던 사람이 다양한 후천적 원인으로 지적 기능이 지속적 · 전반적으로 저하되어 일상생활 및 사회적 · 직업적 기능의 저하가 초래된 상태이기 때문에 흔히 치매를 '다시 아기가 되는 병'이라고도 한다.

이 질병이 사회적으로 중요성을 더해가는 이유는 우리 사회가 급속히 노령화되고 있기 때문이다. 현재 약 30만 명 정도의 치매환자가 있을 것으로 조사되고 있지만, 오는 2020년에는 약 80만 명에 이를 것으로 추산된다.

치매를 예방하기 위해서는 다음과 같은 조치 또는 생활습관이 필요하다.

» 조기진단이 매우 중요하다. 일반적으로 치매의 원인은 70여 가지로 알려져 있다. 이들 중 적어도 3분의 1은 적절한 치료를 하면 증상의 호전이나 완치를 기대할 수 있다.

» 치매는 어느 정도 치료될 수 있으며, 빨리 발견할수록 치료가능성이 더욱 높아지므로 반드시 신경과전문의의 진단을 받는 것이 중요하다.

» 신체적 건강을 잘 유지하는 것이 기본이다. 특히 뇌혈관질환을 일으킬 수 있는 고혈압, 당뇨, 비만, 고지질혈증, 흡연 등의 위험인자를 조절하는 것이 중요하다. 이러한 위험인자들을 조절하는 것은 혈관성치매뿐만 아니라 알츠하이머치매의 예방과 치료에도 중요하다.

» 나이가 들어도 긍정적인 생각을 갖고 적극적인 사회생활이나 여가생활을 하면 치매를 예방하는 데 도움이 된다. 따라서 지속적으로 일거리를 찾고 독서 · 취미활동 · 친목모임 등의 활동을 하는 것이 좋다.

» 지속적인 두뇌활동도 알츠하이머치매의 발병을 어느 정도 예방할 수 있는 것으로 알려져 있다. 사람의 뇌는 사용하면 할수록 발달하고, 게을러지면 금방 위축된다.

» 하루에 30분씩만 매일 걸어도 치매가 예방된다고 할 만큼 규칙적이고 적당한 운동은 치매예방에 필수적이다.

» 적절한 영양섭취가 병행되어야 치매가 예방된다. 고등어 · 꽁치 · 정어리 · 삼치 등과 같은 등 푸른 생선, 카레 · 각종 견과류 · 우유 · 신선한 야채, 잡곡밥 등이 치매예방에 좋은 음식으로 추천된다.

» 적극적인 노력에도 불구하고 치매를 모두 예방할 수 있는 것은 아니

다. 왜냐하면 치매는 나이가 많아질수록 어쩔 수없이 발병률이 높아지는 퇴행성질환이기 때문이다. 피해나갈 수 없다면 차라리 긍정적이고 적극적으로 받아들이는 것이 좋다.

다음은 치매를 예방 또는 병증을 개선하기 위한 운동요법을 요약한 것이다.

» 노인이 규칙적으로 운동을 하면 치매에 걸릴 위험이 30~40% 줄어든다.
» 운동을 통한 신체적 건강은 뇌의 건강으로 연결되므로 신체기능을 전반적으로 향상시킬 수 있는 운동이 좋다. 예를 들어 걷기, 조깅, 자전거타기, 수영 등과 같은 유산소운동이다.
» 운동강도는 옆 사람과 이야기하면서 운동할 수 있을 정도로 '약간 가볍다' 수준이면 충분하다.
» 운동 지속시간은 30분 이상, 운동빈도는 주당 4회 이상이 좋다.
» 유산소운동과 근력운동을 함께하면 더 좋다. 왜냐하면 근력운동이 신체를 자극하면 노화로 인한 뇌세포의 괴사를 줄여주기 때문이다. 그 밖에 균형운동, 2중 과제 트레이닝 등도 노인들의 치매예방에 좋은 운동이다.
» 근력운동을 할 때 저항은 자신의 체중을 이용하는 것이 좋다. 예 : 반복하여 앉았다 일어서기
» "몸에 무리가 가지 않도록, 천천히, 목표를 정해서, 꾸준히" 운동하는 것이 무엇보다 중요하다.
» 운동을 시작할 때는 스트레칭으로 준비운동을 하고, 운동을 마칠 때에는 가벼운 조깅으로 정리운동을 하는 것이 좋다.

03 기타 노화성 질환

1 전립샘비대증

전립샘비대증은 전립샘(전립선)이 비대해져 소변이 나오는 통로를 막아 소변의 흐름이 감소된 상태로 정의하였으나, 최근에는 다음과 같은 증상을 통틀어서 전립샘비대증이라고 한다.

- ❖ 빈뇨……50세 이상의 남성이 하루 8회 이상 소변을 보는 증상
- ❖ 야간 빈뇨……밤에 자다가 일어나서 2회 이상 소변을 보는 증상
- ❖ 절박뇨……갑자기 소변이 마렵고, 소변이 마려우면 참을 수 없는 증상
- ❖ 지연뇨……소변을 볼 때 한참 뜸을 들여야 소변이 나오는 현상
- ❖ 단절뇨……소변의 흐름이 중간에 끊기는 현상
- ❖ 복압배뇨……배뇨 시 힘을 주어야 하는 현상
- ❖ 세뇨……소변줄기가 가는 증상
- ❖ 잔뇨감……소변을 봐도 개운치 않고 또 보고 싶은 증상
- ❖ 배뇨 후 요점적……소변을 다 보고 난 후 방울방울 떨어지는 증상
- ❖ 절박성 요실금……소변을 참지 못해 옷에 누는 증상

전립샘비대증의 원인은 아직 명확하게 밝혀지지 않았고, 다른 만성질환과 마찬가지로 여러 가지 복합적인 요인이 작용하는 것으로 알려져 있다. 현재까지 인정되는 발병원인은 고환의 노화에 의한 것이고, 유전적 요인과 가족력도 연관이 있다.

전립샘은 남성호르몬 의존기관이므로 성장과 기능을 유지하기 위해서

는 지속적인 남성호르몬이 필요하며, 거세로 인해 남성호르몬이 생성되지 않으면 전립샘은 위축된다. 그러나 교육 정도, 신체활동, 비만, 흡연, 음주 등이 원인이라는 데에는 논란이 있다.

전립샘비대증의 증상이 심해지면 잔뇨량이 증가해서 방광의 배뇨력이 더욱 악화된다. 방광은 늘어나고 이차적으로 방광의 소변이 거꾸로 콩팥(신장)으로 역류해서 요독증을 일으키는 경우도 있다.

전립샘비대증을 예방하기 위해서는 다음과 같이 하는 것이 좋다.

» 규칙적인 생활과 충분한 휴식을 취하고 너무 오래 앉아 있는 것은 피한다.
» 건전하고 적절한 성생활과 규칙적 운동이 전립샘비대증 예방에 도움이 된다.
» 과일과 채소류 특히 토마토, 마늘, 녹차, 삼채, 된장이나 두부와 같은 콩으로 만든 음식, 생선 등의 섭취를 늘리고, 육류와 지방 및 칼로리 섭취는 제한하는 것이 좋다.
» 자극성 음식은 교감신경을 자극하고, 동물성 지방 음식은 남성호르몬 분비를 증가시켜 전립샘이 커질 수 있으며, 알코올과 카페인이 들어 있는 음식은 이뇨작용을 일으키므로 피하는 것이 좋다.
» 전립샘비대증환자는 평소에 체중을 조절하고 내장지방의 양을 줄이려는 노력을 해야 한다.
» 소변을 너무 오래 참는 것은 좋지 않으며, 과음도 삼가는 것이 좋다.
» 피로는 피해야 하고, 좌욕을 자주하는 습관을 갖는 것이 좋다.

2 요실금

요실금은 자신의 의지와 관계없이 방광이 수축되거나, 요도괄약근 및 골반근육이 약화되어 소변을 지리는 증상이다. 이것은 환자의 쾌적한 생활을 방해하고 일상생활과 사회활동에서 신체적 활동을 제약하며, 개인의 자긍심을 손상시킨다. 그러므로 요실금은 하나의 증상일 뿐 치료하지 않으면 생명에 위험이 되는 질병은 아니다.

요실금은 여러 가지 원인으로 발생하고, 남녀노소 모두에게 올 수 있으나, 특히 중년 이후의 여성, 신경질환환자, 노인 등에서 많이 나타난다. 5세에서 14세의 소년 · 소녀에서 5~10%, 15세에서 64세까지의 성인남자에서는 4% 정도 나타나지만, 성인여성의 35~40%는 요실금이 있는 것으로 알려져 있다. 노인의 경우 요실금은 남자와 여자에서 비슷하게 나타나고, 자택에서 생활하는 노인보다 양로원 등에서 집단생활을 하는 노인에서 더 높은 빈도로 나타난다.

요실금은 크게 복압성 요실금과 절박성 요실금으로 분류할 수 있다. 복압성 요실금은 복부 내 압력이 증가할 때 방광의 수축없이 소변이 누출되는 현상으로, 전체 요실금의 80~90%를 차지한다. 복압성 요실금은 골반근육과 요도괄약근의 약화 때문에 발생한다.

골반근육은 방광을 지지하면서 소변을 볼 때 방광출구가 열리고 닫히는 것을 조절하는 데 도움을 주는 근육이다. 임신 및 출산, 폐경, 비만이나 천식과 같이 지속적인 기침을 유발하는 질환, 골반 부위의 수술, 여성호르몬의 농도저하 등으로 골반근육이 약화되면 복부 내 압력이 증가할 때 방광과 요도를 충분히 지지해주지 못하여 소변이 누출되게 된다.

남성의 경우에는 골반근육이 강하게 지탱되고 있어 요실금이 여성보다는 드물지만, 전립샘수술이나 요도손상이 있으면 복압성 요실금이 나타날 수 있다.

절박성 요실금은 갑작스럽게 소변이 마렵고 이로 인해 소변을 참지 못하고 소변을 흘리는 것으로, 빨리 화장실에 가지 않으면 소변이 새서 속옷을 적시거나 화장실에서 속옷을 내리면서 소변이 새어 나온다.

절박성 요실금은 방광에 소변이 충분히 차지도 않은 상태에서 방광이 저절로 수축하여 발생한다. 주로 뇌졸중, 척추손상, 파킨슨병, 다발성경화증 등이 주원인이다. 급성방광염과 전립샘비대증에서도 나타난다. 이런 경우 치료를 받지 않으면 방광의 압력이 높아져서 방광요관 역류, 콩팥(신장)염증, 콩팥(신장)결석 등이 나타나 콩팥이 커지게 된다. 콩팥기능이 없어지는 신부전에 이르면 매우 위험할 수도 있다.

요실금은 종류에 따라 다른 원인으로 발생하기 때문에 여러 가지 진단적 검사를 통해 그 원인을 찾아내어 원인치료를 하는 것이 중요하다. 증상이 심하지 않은 복압성 요실금은 대부분 수술을 하지 않고 운동요법으로 증상이 개선된다. 하지만 증상이 심해 일상생활에 지장이 있는 경우에는 약물요법과 수술요법을 이용해야 한다.

다음은 복압성 요실금환자에게 적용하는 운동요법의 내용을 요약해서 정리한 것이다.

❖ 요실금환자를 위한 운동은 방광훈련과 골반바닥근육(골반저근) 강화운동으로 구성된다.

❖ 방광훈련……배뇨를 할 때 일부러 소변을 여러 번으로 나누어서 보는 훈련이다. 처음에는 어렵지만 얼마 지나지 않아서 마음대로 소변을 멈출 수 있게 된다.

❖ 골반바닥근육(골반저근) 강화운동

- 항문 · 요도 · 질을 조이는 기분으로 아랫배에 힘을 5초 동안 주고 있다가 서서히 힘을 빼는 동작을 10~20회 반복하는 운동이다.
- 선 자세, 의자에 앉은 자세, 방바닥에 누워서 엉덩이를 최대한 끌어올린 자세에서 각각 실시한다.
- 골반근육만 사용하고, 숨을 멈춘다거나 허벅지근육은 사용하지 않는다.
- Bio feedback 장치를 이용하면 본인이 확인하면서 할 수 있다.
- 지속적으로 실시하지 않으면 효과가 없다.
- 성생활에도 도움이 된다.

❖ 비만은 요실금의 주요 원인이므로 비만인 사람은 체중을 줄여야 한다.

❖ 흡연은 기침을 유발하고 방광을 자극하여 요실금을 악화시킬 수 있으므로 피해야 한다.

❖ 카페인이 함유된 음료와 알코올은 방광을 자극하여 요실금을 더욱 악화시킬 수 있으므로 자제하는 것이 도움이 된다.

❖ 겨울철에는 요실금 증상이 심해진다.

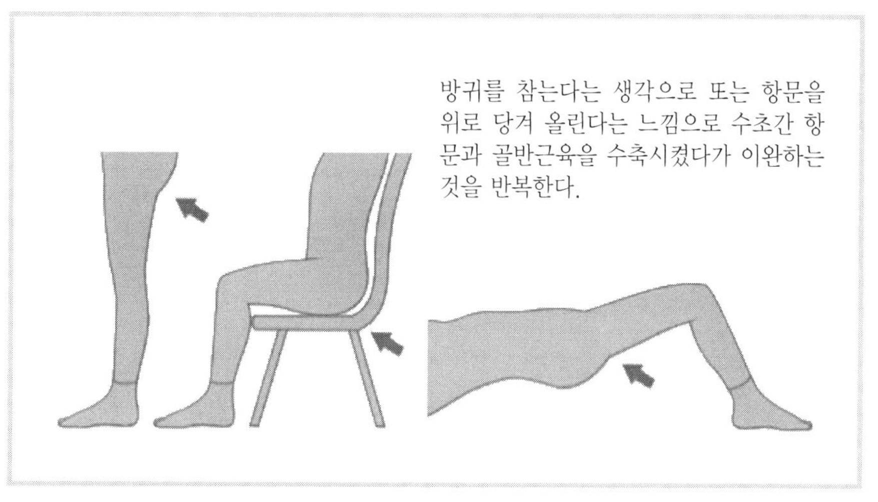

▶ 그림 4-2 골반근육 운동법

제5장

노인 운동의 효과적인 지도방법

01 의사소통 기술

1 노인 스포츠지도사의 마음가짐

노인의 신체적 · 정신적 변화 등에 대한 지식을 갖추고 노인을 대상으로 운동을 지도하는 사람을 '노인 스포츠지도사'라고 정의할 수 있을 것이다. 그러므로 다가오는 100세 시대에는 노인 스포츠지도사들에게 노인체육과 노인복지를 접목시킨 활동이 요구된다.

노인의 수가 급격하게 늘어나고, 노인들의 건강에 대한 관심이 날로 커지기 때문에 노인 스포츠지도사는 노인들을 대상으로 다음과 같은 역할들을 수행해야 한다.

» 신체활동의 원리와 방법 등을 알려주는 체육교사의 역할
» 노인 복지정책과 그 이용방법 등을 알려주는 복지 안내자의 역할
» 노인들의 건강을 관리해주고 하고 상담해주는 건강관리사의 역할
» 노인들의 이야기를 들어주고 문제해결을 도와주는 상담사의 역할
» 노인들이 건강운동에 참여하도록 동기를 유발하여 지속적으로 운동할 수 있게 만드는 홍보 및 보급 담당자의 역할

위와 같은 역할을 효과적으로 수행하기 위해서는 노인 스포츠지도사는 다음과 같은 마음가짐을 가져야 한다.

❖ 예의 바른 마음……노인들을 자신의 부모님처럼 공경하고 예의 바르게 대하려는 마음을 가져야 노인들과 소통을 잘 할 수 있다.
❖ 따뜻한 마음……따뜻한 마음으로 노인들을 대해야 마음을 서로 주고

받을 수 있어 뜻깊은 관계를 형성할 수 있다.

❖ 겸손한 마음……단호하지만 권위적이지 않고, 확실하지만 겸손한 마음을 가져야 노인들이 지도자를 믿고 따를 수 있다.

❖ 인내하는 마음……노인들에게는 물론이고 자기 자신에게도 참고 기다려야 원하는 목표를 달성할 수 있다.

2 노인들과의 의사소통 방법

의사소통(意思疏通)은 '가지고 있는 생각이나 뜻이 서로 통함'이라는 의미를 가지고 있다. 다시 말해서 자신의 생각이나 감정을 전달하면 상대방이 이해해서 반응이 오고가는 과정이라 할 수 있다. 이것은 인간이 사회생활을 영위하기 위해서 가장 필수적으로 가지고 있어야 하는 능력이다.

상호간 소통을 위해 사용되는 매체로는 구어(口語)와 문어(文語)는 물론 몸짓, 자세, 표정, 억양, 노래, 춤 등과 같은 비언어적 요소들까지 포함된다. 언어적 능력이 발달하지 않은 동물들의 경우 호르몬이나 대소변의 냄새 또는 울음소리로 의사소통을 한다. 현대 사회에서는 인터넷의 발달로 포털사이트나 사회네트워크 서비스로도 불특정 다수와 의사소통을 할 수 있다.

사회는 여러 사람이 모여서 만든 조직이기 때문에 나의 감정에만 충실하여 생활할 수는 없다. 때로는 자신의 감정을 적극적으로 표현하기도 하고, 때로는 자신의 감정표현을 자제하기도 하며 다른 사람과의 관계를 맺어간다.

■ 타인과 의사소통이 잘 안되는 이유

다른 사람과 의사소통이 잘 안되는 이유는 다음과 같다.

» 상대의 말을 귀 기울여 들으려 하지 않기 때문이다. 다른 사람에게 애초부터 관심이 없거나 대화 중에 딴 생각을 하고 있으면 의사소통이 잘 되기를 바랄 수 없다. 또 선입견을 가지고 자신의 말만 앞세운다든지, 이해력이 부족해서 상대가 하는 말의 뜻을 제대로 이해하지 못할 때, 그리고 말을 하고 싶어도 억압적인 분위기 때문에 말을 못하게 되면 의사소통이 원활하게 이루어지지 않는다.

» 말하는 사람과 듣는 사람의 신념이 다르고, 경험과 생각의 깊이가 다르고, 의도하는 바와 관계의 정도가 다르다면 같은 말도 다르게 들리고, 다르게 해석될 수 있다.

» 쉽게 다가가지 못하고 자유롭게 표현하지 못하는 분위기에서는 창의적인 발언을 하기가 어렵다. 따라서 어떤 꾸지람을 듣더라도 용기를 내어 말할 수 있는 분위기를 조성하려고 노력해야 한다. 권위적이고 고압적인 자세를 가진 상사나 가장이 부하직원이나 자녀들에게 편하게 말하라고 해도 그들이 편하게 말할 수 없다. 그러므로 상사나 가장은 자유로운 분위기를 만들어주어야 할 책임이 있다.

» 듣고 싶은 이야기만 골라서 들으려 하기 때문이다. 어떤 상황에서든 진실과 진리를 말하려면 용기와 자신감이 있어야 하는데, 상사나 리더는 진실이나 진리보다는 자신이 듣고 싶은 이야기만 들으려고 한다. 그렇기 때문에 입을 닫아버리거나, 말하기를 꺼려하거나, 보복을 두려워하는 마음을 갖게 된다.서로 믿을 수 있는 분위기에서 어떠한 불평이나 불만도 두려움 없이 자유롭게 말할 수 있어야만 의사소통이 원활하게 이루어질 수 있다.

■ 좋은 의사소통의 요소

좋은 의사소통이 되려면 말하는 사람과 듣는 사람이 다음과 같은 요소를 갖추고 있어야 한다. 공감(empathy), 주장(assertiveness), 존중(respect)의 첫 글자를 따서 'EAR'라고 외워두면 좋다.

❖ 공감(귀담아 듣기)……상대의 비판이 옳지 않고 자신의 생각과 다르더라도 그 사람의 말에서 옳은 무엇을 찾으려고 노력하고, 상대방의 입장이 되어 그 사람의 생각과 감정을 인정해주는 것이다. 대부분의 사람들은 자신과 다른 의견을 들으면 화부터 내고, 상대방의 말과 감정을 인정하지 않으며, 상대방의 생각이 틀렸다고 우기고, 자신을 방어하느라고 다른 사람은 전혀 생각하지 않는다.

❖ 주장(효과적인 자기표현)……"나 지금 기분이 별로야!", "나 좀 서글퍼!" 하는 식으로 자신의 감정을 솔직하게 표현하는 것이 좋다. 자신의 감정을 말로 표현하지 않고 "야! 멍청아. 너하고는 더 이상 말하지 않겠어!"라는 식으로 욕을 하면 감정만 더 나빠지지 의사소통에는 전혀 도움이 되지 못한다. 그리고 자신의 의사를 상대방이 잘못 인식하고 있는 것같으면 자신의 의가를 분명하고 정확하게 표현할 수 있는 다른 방법을 찾아봐야 한다. 왜냐하면 상대에게 자신의 의사를 전달하는 1차적인 책임은 말하는 사람 자신에게 있기 때문이다.

❖ 존중……갑갑하고 짜증스러워도 상대를 친절 · 보살핌 · 존중하는 자세로 대해주어야 한다. 무조건 상대방을 설득시키려고 한다든지, 상대와 싸우는 것이므로 싸워 이겨서 상대를 까뭉개버리려는 태도를 보이면 상대가 가만히 당하고만 있겠는가? 상대는 나보다 더 강하게 저항할 수도 있다는 생각이 들지 않는가?

■ 노인과의 의사소통

노인들에게 운동을 효과적으로 지도하려면 노인들과 효과적으로 의사소통을 할 수 있는 방법을 갖추어야 한다.

다음은 노인들과 의사소통하는 기술과 관련된 것들을 정리한 것이다.

❖ 임파워먼트……"권한을 부여한다. 능력을 개발한다. 가능성을 부여한다. 허락한다."와 같은 의미를 가지고 있는 영어 단어로, 노인과 상담 또는 대화할 때 노인의 능력을 믿어주고, 노인에게 필요한 사회적 자원을 획득할 수 있도록 도와주는 것을 뜻한다. 그러면 노인들이 자신감을 회복하고, 무력감에서 벗어나 적극적으로 사회활동에 참여함으로써 노인의 삶의 질이 향상될 뿐 아니라 사회적으로도 약자집단의 능력을 키워주기 때문에 사회복지의 실천모델로 각광을 받고 있다.

❖ 감각과 지각의 증대……노인들은 감각기관의 기능쇠퇴로 자극을 감지하고 구분하는 데에 어려움을 갖고 있다. 그로 인해서 의사소통을 유지하고 집중하는 데에 걸림돌이 되는 경우가 많다. 노인성 난청은 말을 통한 의사소통을 방해하게 되므로 노인과의 의사소통에서 치명적인 방해요인이 된다. 난청은 보청기를 사용하면 어느 정도 해결될 수 있다. 그러나 혼란하고 떠들썩한 상황에서는 잠시 대화를 멈추는 것이 좋다. 한편 노안이 되면 가까이에 있는 물체가 잘 보이지 않지만, 안경을 사용하면 대부분 해결된다. 그러나 노인성 백내장이나 녹내장인 경우에는 너무 늦기 전에 수술을 받는 것이 좋다.

❖ 뇌와 관련된 질병……뇌와 관련된 질병인 실어증, 실독증(글자를 읽지 못하는 증세), 실서증(글씨를 쓰지 못하는 증세), 실행증(다른 사람의 말을 듣고도 실행에 옮기지 못하는 증세), 구음장애(말로 표현

하는 데에 어려움을 겪는 증세) 등을 앓고 있는 노인과 의사소통을 하기 위해서는 증세에 맞는 소통기술을 알고 있어야 한다.

❖ **존경하는 마음으로**……노인과 대화할 때에는 반드시 경어를 사용해야 하고, 노인이 불리고 싶어 하는 호칭으로 불러야 한다. 그렇지 않으면 노인은 젊은 사람이 자기를 무시한다고 생각해서 말을 들으려고 하지 않는다.

❖ **가까이서**……노인과 이야기할 때에는 가급적이면 가깝게 다가가서, 낮고 똑똑한 목소리로, 눈을 마주보면서 이야기해야 한다.

❖ **충분한 시간을 가지고**……노인과 이야기할 때에는 서두르지 말고 시간을 가지고 천천히 이야기해야 하고, 충분히 의사소통이 되었는지 확인해봐야 한다.

❖ **질문은 간단하게**……노인과 이야기할 때에는 가급적 간단한 문장으로, 한 가지 내용씩 질문해야 한다. 한꺼번에 여러 가지를 물어보면 앞에 물어본 것에 대한 답을 하지 못할 가능성이 많고, 그것을 재차 물어보면 싫어한다.

❖ **개인적인 문제는 조심해서**……노인들은 자신의 문제가 남에게 노출되는 것을 싫어한다. 그러므로 가정문제나 경제적인 어려움 같은 것을 물을 때에는 조심스럽게 하면서, 이야기 내용을 다른 사람에게는 비밀로 할 것이라고 암시해야 한다. 그렇지 않으면 대답을 안하거나 엉뚱한 이야기를 해서 화제를 바꾸어버리려고 한다.

❖ **비언어적 표현에 주의해야**……노인과 대화할 때에는 비언어적인 의사소통에 민감해야 한다. 말로는 아무렇지 않다고 하면서 실제로는 몹시 괴로워하는 것은 표정이나 몸짓 또는 자세를 보면 알 수 있다.

❖ **조심성**……노인들은 조심성이 많아서 한 가지 질문에 대한 대답도 한참 생각했다가 말을 골라서 하려고 한다. 그러므로 노인과의 대화

를 빨리 끝내려고 서두르면 안 되고, 나 자신이 정직하다는 것을 노인에게 보여주어야 한다.

❖ 의존성……노인들은 나이가 들수록 의존성이 커진다. 스포츠지도사를 전문가로 보아서 자신에게 도움이 될 것이라고 생각하면 자꾸 이야기를 더하면서 같이 있고 싶어 하고, 일부러라도 무엇을 부탁해서 자기와 가까이 하려고 한다. 그것을 귀찮다고 팽개처버리면 금세 돌아서서 멀리해버린다.

❖ 자녀처럼……노인이 스포츠지도사를 자녀처럼 보게 만들면 안 된다. 그러면 노인이 말도 안 듣고 오히려 스포츠지도사를 훈계하려고 한다.

❖ 무능력자……스포츠지도사가 노인을 힘도 없고 능력도 없는 무능력자로 보면 절대 안 된다. 노인과 가까워지면 호칭은 부모님처럼 하면서 노인을 어린애 취급하기 쉽다.

❖ 노인은 자신의 건강문제에 대하여 스포츠지도사에게 자세히 설명하려고 한다. 그렇게 하면 무엇인가 뾰쪽한 해결책이 있을 거라고 막연히 기대하기 때문이다. 이야기는 끝까지 듣되, 도와드리는 데에 한계가 있다는 것을 분명히 해야 한다.

3 노인 운동의 지도기법

■ 노인 교육의 기본원리

노인들을 교육하려면 노인의 특성을 먼저 이해하고, 개별적인 사항을 고려해야 한다.

다음은 노인들을 교육할 때 기본적으로 적용해야 할 원리들을 설명한 것이다.

❖ 자발성의 원리……노인 교육은 강압적 · 타율적으로 이루어져서는 안 되고, 노인의 특성과 흥미에 입각한 자발성을 기초로 이루어져야 한다. 노인들은 경험과 지식이 풍부하고, 자발적으로 학습에 참여할 수 있는 능력이 충분히 있다.

❖ 경로의 원리……노인을 가르치는 교사는 일반학교의 교사와는 달라야 한다. 왜냐하면 노인들은 대부분이 교사보다 연령이 많고, 특정 분야에서는 교사보다 지식과 경험이 훨씬 풍부하기 때문이다. 노인이 교육을 받으러 온 것은 소외감이나 좌절감을 극복하러 온 것이고, 소일거리의 하나로 생각하는 것이지 무엇을 특별히 배워서 써먹어야겠다는 생각으로 나온 것이 아니므로 교사는 경로사상을 가지고 노인들을 대해야 한다.

❖ 사제동행의 원리……노인 교육에서는 학생과 교사가 동등한 입장이고, 교사와 학생의 상호 합의에 의해서 교육이 이루어지므로, 모든 교육활동을 학생과 교사가 동행해야 한다.

❖ 생활화의 원리……노인들에게 가르치는 내용과 방법이 일상생활과 밀접한 관련이 있어야 한다. 노인이 교육을 받으러 온 것은 당장 생활에 필요한 것을 더 잘할 수 있기 위해서이지 미래를 대비하기 원한 것이 아니다.

❖ 다양화의 원리……노인들을 주입식으로 교육하려고 하면 안 된다. 그들은 다양한 체험이나 연습을 원한다.

❖ 직관의 원리……노인들은 문자로 된 책을 읽는 것보다 비디오로 보거나 다른 감각기관을 통해서 직접적으로 느껴봐야 교육효과가 좋다.

❖ 개별화의 원리……노인들 상호간에는 지적능력, 학력, 흥미, 성격, 경

험, 건강상태, 생활수준, 경제력 등의 차이가 아주 심하다. 그러므로 다양한 개개인의 학습욕구를 충족시켜 줄 수 있도록 개별화 학습이 필요하다. 또한 노인들은 장시간 공부를 한다든지 정해진 시간 내에 문제를 해결해야 하는 방식 등은 좋아하지 않으므로 스스로 수업진도를 정할 수 있는 방식의 교육이 좋다.

❖ 경험의 원리……노인들은 자기에게 친숙하거나, 자기가 관심 또는 흥미를 가지고 있거나, 자신에게 의미가 있는 과제를 주면 열심히 하고 그렇지 않은 것은 방치해버리기 쉽다. 그러므로 노인의 예전 직업, 흥미, 관심, 학습동기 등을 살펴서 적합한 과제를 제시해야 학습효과도 좋고, 학습분위기도 좋아진다.

❖ 사회화의 원리……노인을 교육하는 가장 중요한 목표 중의 하나가 급격하게 변하는 사회적 환경에 노인이 적응할 수 있도록 돕는 것이다. 그러므로 노인 교육의 내용에는 반드시 사회봉사를 포함시켜야 한다. 노인들은 사회봉사를 통해서 자긍심을 느끼고, 자신도 아직 쓸모가 있다는 의식을 갖게 된다.

■ 노인 운동지도의 목표

노인 운동을 지도할 때에는 다음과 같이 목표를 설정한 다음 지도해야 한다.

» 새롭고 다양한 신체활동의 가치를 창출하여 노인이 운동에 관한 흥미와 관심을 가질 수 있도록 탐구감각을 향상시킨다.

» 노인들의 신체적 · 정신적 · 사회적 건강을 유지 및 증진시키는 데에 기여해야 한다.

» 노인들 간에 서로 원만한 유대관계를 가질 수 있도록 돕고, 보다 바람직한 사회성을 함양할 수 있도록 유도한다.
» 노인들의 호기심과 새로운 것에 도전하려는 욕구를 충족시킬 수 있도록 노력해야 한다.
» 자율적으로 행동하고, 외부 환경에 대하여 적응하며, 독립심을 향상시킬 수 있는 활동을 해야 한다.
» 건전한 여가활동이 될 수 있어야 한다.
» 가족 단위의 참가를 유도해서 가족 간의 유대를 강화하고, 세대 간의 이해와 융합을 촉진한다.
» 노인 스스로가 소속감을 느끼고, 타인을 존중하는 자세를 갖도록 유도하여 협동정신을 강화한다.
» 사회문화의 학습과 이해를 통해서 올바른 시민정신을 육성한다.

■ 노인 운동지도의 6단계

노인 운동프로그램을 실천하여 지도목표를 효과적으로 달성하기 위해서는 다음과 같은 6단계 지도법이 좋다.

➔ 제1단계 : 참가자들의 기대와 운동 목표 살피기

노인 운동프로그램 참가자들은 그 운동프로그램의 효과에 대하여 상당한 기대를 갖고 있다. 노인 운동프로그램을 시작하는 초기에 참가자들이 모두 모여서 기대하는 바에 대하여 서로 토의해야 좋은 이유는 다음과 같다.

» 많은 사람들이 기대하는 바를 달성할 수 있도록 프로그램 운영 방향

을 정할 수 있기 때문이다. 체중을 줄이기 원하는 노인과 평형능력의 향상을 원하는 노인에게 같은 운동프로그램을 같은 방식으로 운영한다면 효과를 기대할 수가 없을 것이다.

» 노인 운동프로그램 참가자들의 기대치를 충족시킬 수 있을 것인지를 가늠할 수 있기 때문이다. 노인 운동프로그램 참가자들이 기대하는 바를 이룰 가능성이 거의 없는 운동프로그램이라면 빨리 수정해서 조금이라도 가능성을 높여야 하고, 노인들이 가지고 있는 기대가 비현실적이라면 노인들을 설득해서 이해시켜두어야 중도에 그만두는 노인이 준다.

➔ 제2단계 : 참가자들의 개인 목표 정하기

참가자가 자신의 목표를 스스로 결정할 수 있도록 도와주는 것이다. 지도자는 각자가 생각하는 스스로 설정한 운동목표의 달성 가능성과 그것을 달성하려고 스스로 어느 정도 노력하고 있는지를 확인해야 한다. 그래서 달성 가능성이 적으면 목표를 내려잡게 하고, 목표에 비하여 노력 투자가 너무 적으면 더 많이 노력해야 한다는 것을 귀띔해서 수정하도록 유도해야 한다.

➔ 제3단계 : 피드백 제공하기

제1단계와 제2단계를 거치고 나면 본격적으로 운동을 하게 된다. 운동 중에 피드백을 제공하고, 운동목표를 향한 진행상황을 수시로 점검해서 스스로 운동량을 결정해서 할 수 있도록 도와주어야 한다.

그와 함께 행동분석과 사회적 지지를 확보하려고 노력해야 한다. 참가자가 현재하고 있는 운동을 방해하는 요소가 있는지 알아봐서 방해요소는 제거하고, 촉진요소는 더욱 더 살리는 것이 행동분석이다. 그리고 가족 ·

친척 · 친구 · 동료 · 지도자 등으로부터 칭찬을 받을 수 있는 기회를 많이 만드는 것이 사회적 지지의 확보이다.

➔ 제4단계 : 보상과 인센티브 제공하기

운동프로그램에 참여한 노인 중에서 자신이 설정한 목표를 달성하거나 초과달성한 노인을 여러 사람이 알 수 있도록 칭찬해주는 것이다. 그러나 지도자가 무턱대고 칭찬하는 것보다는 노인으로 하여금 칭찬받는 방법을 정하도록 하는 것이 좋다. 왜냐하면 어떤 노인은 여러 사람 앞에서 공개적으로 칭찬받기를 원하지만, 어떤 노인은 게시판에 게시되는 것을 더 좋아할 수도 있고, 어떤 노인은 상장이나 메달을 받기를 원할 수도 있기 때문이다.

➔ 제5단계 : 걸림돌 극복하기

운동을 하다보면 운동을 하는 데에 방해가 되는 걸림돌을 만날 때가 많다. 예를 들어 운동을 하면 계속해서 피로가 누적된다든지, 가정환경의 변화로 운동시간을 지키기 어렵게 되었다든지 하는 것들이 모두 방해요소들이다. 그러한 걸림돌을 제거할 수 있는 가장 알맞은 방법은 본인이 가장 잘 알고 있다. 그러므로 스스로 걸림돌을 극복할 수 있는 방법을 결정하도록 하고, 지도자는 걸림돌을 제거하는 것을 옆에서 도와주면 된다.

➔ 제6단계 : 운동을 지속하게 만들기

노인들에게 운동프로그램을 6개월 이상 지속하여 실시한 경우는 매우 드물고, 대부분의 운동프로그램은 3~6개월 단위로 새로운 참가자들을 모집한다. 그러므로 운동프로그램에 가입하여 운동에 재미를 붙였더라도 더 이상 참가하지 않으면 운동을 영영 그만 두어버릴 확률이 높아진다. 노인

스포츠지도사는 운동프로그램에 참가했던 노인들끼리 모임을 만들어 운동을 지속적으로 할 수 있도록 유도해야 한다. 그리고 그러한 운동 동호회의 활동을 지역사회에서 적극적으로 도와주어야 한다.

02 노인 운동 시의 위험관리

1 노인 운동시설의 안전관리

■ 시설의 안전관리

노인들이 안전하게 운동할 수 있도록 하려면 다음 사항을 지켜야 한다.

» 어떠한 응급상황에서도 신속하게 대응할 수 있도록 응급처치 계획을 세운 다음 그 내용을 눈에 잘 띄는 곳에 게시해야 한다.

» 노인 스포츠지도사들을 대상으로 응급처치 훈련을 정기적으로 해야 한다.

» 운동에 참여한 노인들 중에 신체에 이상이 있는 사람은 없는지 운동 시작 전에 확인해야 한다.

» 노인 스포츠지도사는 반드시 심폐소생술을 알아야 한다.

» 노인 스포츠지도사는 시설과 장비의 사용방법을 잘 알고 있어야 하고, 운동에 참여자는 노인들이 올바른 방법으로 이용할 수 있도록 지도해야 한다.

» 노인들이 운동하는 동선을 파악하여 운동시설과 장비를 안전하게 배치해야 한다.

» 운동장비의 사용방법과 사용 시 주의사항을 적절한 장소에 게시해야 한다.
» 운동시설과 장비를 설치할 때에는 제조업자가 권고하는 방법을 따라야 한다.
» 운동시설과 장비의 안전점검 일지를 매일매일 기록하고, 이상유무를 반드시 체크해야 한다. 그렇지 않으면 사고가 났을 때 책임을 면하기 어렵다.

■ 환경과 장소의 안전관리

야외에서 운동할 때에는 운동하는 장소와 주위 환경이 안전한지 주의를 기울여야 한다.

» 운동하는 장소에 위험한 물건이나 건강에 해로운 물질이 없는지 잘 살펴보아야 한다.
» 무덥고 다습한 환경이나 춥고 건조한 환경에서 운동하는 것은 피해야 한다. 노인들은 면역력이 약하기 때문에 저체온증이나 고열증에 걸릴 염려가 있다.
» 직사광선이 내려 쪼이는 곳은 피해야 한다. 열사병의 위험도 있고, 눈이 부셔서 잘 보이지 않기 때문이다.
» 너무 소란한 곳도 피해야 한다. 지도자의 설명을 듣기 어렵고, 수업분위기가 어수선해진다.
» 수중운동을 할 때에는 수온과 물의 깊이를 체크해야 하고, 보온대책과 응급처치 방법을 미리 강구해야 한다.
» 비가 오거나 추운 날에 운동을 할 때에는 잠시도 방심하면 안 된다.

언제 어떤 사고가 날지 모르기 때문이다.

» 노인들은 대부분 시각과 청각에 어느 정도의 이상이 있다는 것을 염두에 두고 장소를 선택해야 한다.

■ 응급상황의 관리

노인들이 운동을 하면 의료적 응급상황이 발생할 가능성이 크다. 그러므로 응급상황이 발생하면 어떻게 대처할 것인지 미리미리 준비해두어야 한다.

» 운동을 시작하기 전에 반드시 참가자들의 건강상태를 체크해야 한다. 물어보지 않더라도 준비운동이나 스트레칭을 하면서 안색이나 거동을 살펴보면 짐작할 수 있다.

» 참가자 중에 심장병을 앓고 있거나 심장병을 앓은 병력이 있는 사람이 있으면 운동강도를 바꿀 때마다 체크해야 한다.

» 참가자 중에 당뇨환자가 있으면 사탕이나 초콜릿을 준비해두어야 한다. 운동 중에 저혈당증상이 올 수도 있기 때문이다.

» 노인들은 빨리 피로를 느낀다. 운동을 계속해서 하지 말고 중간중간에 쉬면서 해야 한다.

» 운동할 때 복장도 아주 중요하다. 복장이나 신발이 운동하기에 부적합하면 운동 중에 다치거나 땀 또는 추위로 고생할 수 있다.

» 응급상황이 발생했을 때 119와 가족에게 연락할 수 있는 비상 연락망을 갖추어 놓아야 한다.

» 응급상황이 닥쳤을 때 지도자가 당황하면 안 된다. 지도자는 자신이 어떤 처치를 직접 하는 것보다는 운동 참가자들이 처치를 할 수 있도록 지시하는 것이 더 중요하다.

» 심폐소생술을 적용할 수 있도록 항상 AED(심장충격기)를 준비해두고 있어야 한다.

2 일반적인 응급처치법

어떠한 긴급상황에서든 활동지침을 분명하게 지켜야 한다. 그래야 지도자가 해야할 일의 우선순위가 정해져서 행동방향을 결정하기 쉽다.

긴급상황에서 해야할 기본적인 행동단계는 다음과 같다.

» 상황 판단하기

» 응급처치할 장소를 안전하게 만들기

» 응급처치하기

모든 환자를 1차평가방법으로 평가해서 가장 심하게 손상당한 환자를 먼저 식별해야 한다.

■ 상황판단하기

현장상황을 정확하게 판단하는 것이 사고관리에서 가장 중요하다. 침착한 자세로 응급처치 교육과정에서 배웠던 것을 다시 떠올려본 다음에 행동에 들어간다. 주위에 의료계통에 종사하는 사람이 있는지 알아보고, 있으면 일을 분담한다.

안전에 위협이 되는 것이 무엇인지 확인하고, 동원 가능한 인력 · 장비 · 도구 등을 판단한다. 위험요소(뾰족한 물건, 엎질러진 화학물질, 낙하물 등)에도 조심해야 한다.

❖ 안전 : 위험요소가 무엇인가? 아직도 남아 있는가? 보호장비는 갖추었는가? 접근해도 안전한가?

❖ 현장 : 사고의 원인은 무엇인가? 손상의 메커니즘은? 환자가 몇 명이나 되는가? 어떤 손상을 당했을 것으로 생각되는가?

❖ 상황 : 무슨 일이 벌어졌는가? 몇 사람이 관련되어 있고 그들의 연령대는? 어린이나 노인은 없는가?

■ 응급처치 장소를 안전하게 만들기

사고가 발생하도록 만든 장소에는 위험요소가 아직도 존재하고 있으므로 가능하면 제거해야 한다. 이것은 화재위험이 있어서 자동차의 시동을 끄는 것같이 아주 간단한 일일 수도 있다. 최후의 수단으로는 환자를 안전한 곳으로 옮긴다. 그러려면 전문가의 도움과 장비가 필요한 경우가 많다.

환자에게 접근할 때는 자신을 스스로 보호해야 한다. 잘 보이는 옷과 장갑을 착용하고, 안전모를 착용한다. 환자도 당신이 걱정하는 위험요소 때문에 추가로 손상당할 가능성이 있다.

현장에서 구출이 늦어지면 환자가 추가로 손상당하지 않도록 보호해주어야 한다. 장소를 안전하게 만들 수 없으면 119구급대를 부르고, 구급대원이 안전을 확보할 때까지 조용히 기다린다.

■ 응급처치하기

안전한 장소가 확보되면 신속하게 환자를 1차평가해서 처치할 우선순위를 먼저 결정해야 한다. 환자가 여러 명 있을 때에는 생명이 위험한 정도에 따라서 더 위험한 환자부터 처치한다.

환자의 반응을 체크한다.

- 질문을 하거나 가볍게 어깨를 흔들면서 반응을 체크한다.

반응이 있는가?

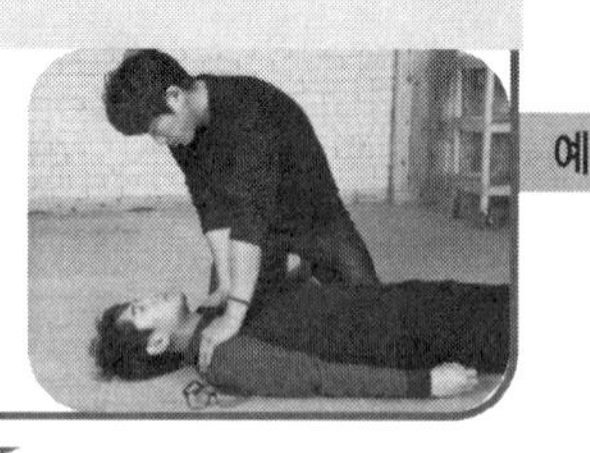

예 → 환자가 발견된 자리에 생명을 위태롭게 하는 손상이 있었는지 체크하고 처치한다. 도움을 요청하고 필요하면 ABC 체크를 한다.

아니요 ↓

기도를 개방하고, 호흡을 체크한다.

- 머리를 뒤로 젖히고 턱을 들어 올려서 기도를 열어준다.
- 호흡을 하는지 체크한다.

정상적으로 호흡을 하는가?

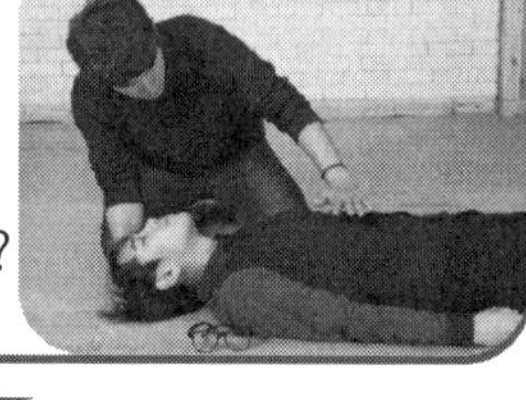

예 → 가능하면 환자가 발견된 자리에 생명을 위태롭게 하는 손상이 있었는지 체크한다. 환자에게 척주 손상이 없으면 회복자세를 취하게 한다.

119에 신고한다.

아니요 ↓

- 보조자에게 119에 신고하라고 부탁한다.
- 보조자에게 가능하면 AED를 가져오라고 부탁한다.

↓

CPR을 시작한다.

- 30번 가슴을 압박한다.
- 2번 인공호흡을 한다.

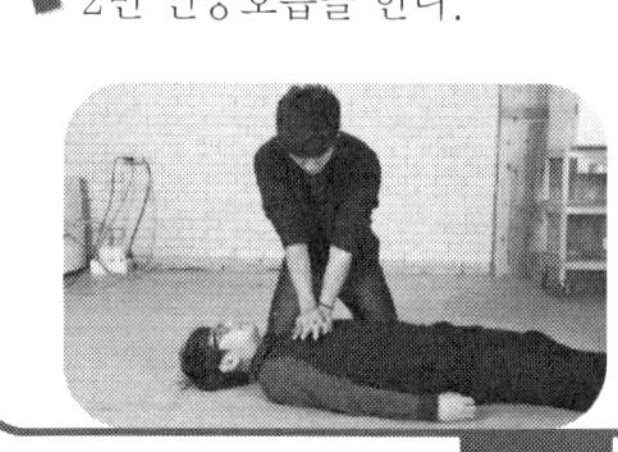

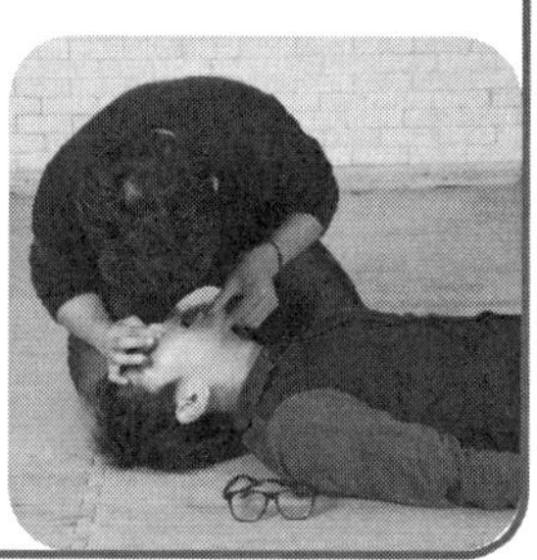

↓

CPR을 계속한다.

- 119가 도착할 때까지 30회 가슴압박, 2회 인공호흡을 계속 한다.
- 환자가 정상적으로 호흡을 하거나 당신이 너무 지쳐 할 수 없을 때까지 계속한다.

주의

» 당신 혼자인 경우에는 환자가 정상적으로 숨을 쉬지 않는다는 것을 알게 된 후 빨리 119에 신고해야 한다.

» 환자가 익수사고 때문에 숨을 쉬지 않는다는 것이 확실하면 119 구급대가 도착하면 알려준다.

» 환자가 정상적으로 숨을 쉬게 되었고 의식이 없으면 회복자세로 눕힌다.

» 인공호흡을 할 마음이 내키지 않으면 가슴압박만 계속한다.

▶ 그림 5-1 심폐소생술 실시방법

환자의 처치는 가능한 한 제자리에서 하고, 위험에 직면해 있거나 생명이 위태로운 경우에만 자리를 옮긴다. 가능하면 주위 사람들의 협조를 요청한다. 구경꾼들이 119에 신고할 수도 있고, 교통사고인 경우 삼각대나 경고등을 설치할 수도 있다. 구경꾼들이 환자의 사생활을 보호할 수도 있고, 낙하물을 치울 수도 있다.

■ 구급대원 돕기

구급대원이 도착하면 구급대원의 질문에 성실히 답하고, 구급대원의 지시에 따라야 한다. 예를 들어 구급대원이 가져온 장비로 환자를 옮겨 줄 것을 요청하면 그에 따라야 하고, 환자와 떨어져 있으라고 하면 그렇게 해야 한다.

■ 환자 평가하기

환자를 평가할 때에는 맨 먼저 생명을 위태롭게 하는 손상이나 증상이 있는지 알아내는 것이 필요하다(1차평가). 생명을 위협하는 무엇을 발견하려면 ABC 체크의 순서로 확인해야 한다.

❖ Airway(기도)……기도가 열려 있고 이물질이 들어 있지는 않는가? 기도가 막히면 숨을 쉬지 못해서 저산소증이 유발되고, 결국에는 사망한다. 환자가 말을 하면 기도가 열려 있고 깨끗하다는 증거이다.

❖ Breathing(호흡)……환자가 정상적으로 숨을 쉬는가? 환자가 숨을 쉬고 있으면 호흡을 어렵게 만들고 있는 것(예 : 천식)은 없는지 체크해서 제거한다. 환자가 숨을 쉬지 않으면 즉시 119에 신고한 다음 인공호흡과 함께 가슴압박을 시작한다.

❖ Circulation(순환)……환자가 심하게 피를 흘리고 있는가? 처치하지 않으면 쇼크로 생명이 위독한 상태가 될 수도 있으므로 반드시 처치해야 한다.

제1차평가에서 잘못보고 지나갔을지도 모르는 손상이나 증상은 없는지 자세하게 평가하는 것이 2차평가이다. 2차평가는 '머리끝에서 발끝까지 검사' 방법으로 실시한다.

3 운동 전 · 중의 자각증상 체크

pp. 109~116 참조

참 고 문 헌

강승애 외(2015). 노인체육론. 대한미디어.

김복현 외(2015). 응급처치 바이블. 대경북스

김완수 외 역(2003). 운동검사 · 운동처방 지침(제6판). 현문사.

김창국 외(2016). 트레이닝 방법론. 대경북스.

서영환 외(2014). 운동처방과 질환별 운동치료프로그램. 대경북스.

원영신 외(2015). 노인체육 개론. 대경북스.

이은희(2009). 노인복지론. 학지사.

장경태 외(2006). 노인체육. 대한미디어.

정일규(2016). 휴먼퍼포먼스와 운동생리학. 대경북스.

한국운동지도협회(2002). 성인병 예방 관리를 위한 운동지도지침서. 고려의학.

Atchley, R. C.(1980). *Social Forces and Aging: An Introduction to Social Gerontology*. Belmont, CA: Wadsworth Publishing Co.

Atchley, R. C.(1989). A continuity theory of normal aging. *The Gerontologist, 29(2).* 183-190.

Atchley, R. C.(2004). *Social Forces and Aging*(10th ed.). Belmont, CA: Wadsworth Thompson Learning.

Baltes, M. M. & Baltes, P. B.(1990). Psychological perspectives on successful aging: The model of selective optimization with compensation. In M. M. Baltes & P. B. Baltes (Eds.), *Successful aging: Perspectives from the behavioral sciences.* Cambridge: Cambridge University Press.

Butler, L. B.(1974). Successful Aging and the role of the life review. *Journal of the American Geriatric Society, 22(12),* 529-535.

Cowgill, D. O.,& Homes, L. D.(1972). *Aging and the Modernization.* NY: Meredith Corporation.

Cunningham, D. A., Rechnizer, P. A., Pearce, M. E., Donner, A. P. (1982). Determinations of selfselected walking pace across ages 19-66, *J. Gerontol.,* 37: 560-564.

Cutler, S. J. & Hendricks, J.(2001). Emerging social trends. In R. H. Binstock & L. K. George(Eds.), *Handbook of Aging and the Social Sciences.* San Diego: Academic Press.

Daley, M. J.,& Spinks, W. L.(2000). Exercise, mobility, and aging. *Sports Medicine*, 29, 1-12.

Erickson, E. H.(1963). *Childhood and Society(2nd ed.).* New York: Norton.

Erikson, E., Erikson, J. & Kivnick(1986). *Vital Involvment in Old age*, New York: Norton.

Essne, B., Jansson, E., Henrickson, J., Taylor, A. W. and Saltin, B.(1975). Metabolic characteristics of fibre types in human skeletal muscle, *Acta. Physiol. Scand.,* 95: 153-165.

Gollnick, P. D., Armstrong, R. B., Saubert, C. W., Piehlm, K. and Saltin, B.(1972). Enzyme activity and fiber composition in skeletal muscle of untrained and trained men, *J. Appl. Physiol.,* 33: 312-319.

Gonyea, W., Erickson, G. C. and Bonde Peterson, F. (1977). Skeletal muscle fiber splitting induced by weight-lifting exercise in cats, *Acta. Physiol. Scand.,* 99: 105-109.

Grimby, G., Aniansson, A., Zetterberg, C. and Saltin, B.(1984). Is there a change in relative muscle fibre composition with age?, *Clin. Physiol.,* 4: 189-194.

Hammond, E. C. and L. Garfinkel,(1964). Coronary heart disease, stroke and aortic aneutysm, Factors in the etiology, *Arch, Env. Health,* 19: 167-182.

Havighurst, F. J. (1968). Personality and patterns of aging. *The Gerontologist, 8,* 20-23.

Havighurst, R. J.(1972). *Developmental Tasks and Education(3rd ed.).* New York: D. McKay Co.

Hermansen, L.,(1971). Lactate production during exercise, in *Muscle metabolism during exercise,* Pernow & Saltin eds., Plenum Publishing Corporation, New York.

Magee, D. J.(1992). *Orthopedic Physical Assessment.* Philadelphia: W. B. Saunders.

Manninen, P. et al(2002). Physical workload and the risk of severe knee osteoarthritis, *Scand J Work Environ Health, 28(1)*, 25-32.

Milsom, I.(2000). The prevalence of urinary incontinence. *Acta Obstericia et*

Gynecologica Scandinavica, 79, 1056-1059.

Peck, R. C.(1968). Psychological developments in the second half of life. In B. L. Neugarten(Ed.), *Middle Age and Aging,* Chicago: University of Chicago Press.

Pollock, M., J. H. Wilmore and S. M. Fox,(1984). Exercise in health and disease, *Evaluation and prescripion for rehabilitation and prevention,* Chapter 8. Prescribing exercise for rehabilitation of the cardiac patient, 298-373, W. B. Saunders, Philadelphia.

Rose, A. M.(1965). The Subculture of Aging. In A. M. Rose & W. A. Peterson(Eds.), *Older People and Social World.* Philadelphia: F. A. Davis.

Rowe, J. W. & Kahn, R. L. (1998). *Successful Aging,* New York: Pantheon Books.

Saltin, B. and P. D. Gollnick,(1983). Skeletal muscle adaptability: significance for metabolism and performance, in *Handbook of Physiology,* Section 10, Skeletal Muscle, L. D. Peachy et al. eds., American Physiological Society, 555-631, Bethesda.

Shemon, R. H. & Lumsden, D. B. Eds.(1996). Old Laboratory experiences change college student's attitudes toward the elderly, *Educational Gerontology, 19,* 295-310.

Shephard, R. J.,(1978). *Physical activity and aging,* Groom Heim Ltd., London.

Sidney, K. H. and R. J. Shephard,(1978). Frequency and intensity of exercise training for eldery subjects, *Med. Sci. Sports,* 10: 125-131.

Warner, H., Butler, R. n. Sprott, R. L. & Schneider, E. L.(Eds.). (1987). *Modern biological theories of aging,* New York: Raven.

Wilson, P. D., Samarrai, T. A., Deakin, M., Kolbe, E.,& Brown, A. D. G.(1987). An objective assessment of physiotherapy for female genuine stress incontinence, *British Journal of Obstetrics and Gynaecology, 194,* 575-582.

찾아보기

A~P

ㄱ

ㅇ

ㅈ

ㅍ

ㅎ

저 자 소 개

김동아
상명대학교 스포츠융합학부 스포츠경영전공과 교수

안나영
동국대학교 스포츠건강과학부 강사

안병욱
한서대학교 레저해양스포츠과 조교수

안주미
신성대학교 레저스포츠과 교수

이은주
부산과학기술대학교 재활운동건강과 교수

이현주
동서울대학교 레저스포츠과 교수

정난희
구미대학교 스포츠건강관리과 교수

전정판

노인 체육론

초판발행 2022년 3월 4일
초판2쇄 2023년 3월 10일
발 행 인 김영대
발 행 처 대경북스
ISBN 978-89-5676-887-8

등록번호 제 1-1003호
서울시 강동구 천중로42길 45(길동 379-15) 2F
전화: (02)485-1988, 485-2586~87 · 팩스: (02)485-1488
e-mail: dkbooks@chol.com · http://www.dkbooks.co.kr